姫椿

シエ
（xiè）

1

桜の咲いた日、リンが死んだ。

首輪も餌鉢も遊び道具もみな棺桶に入れて焼いてしまったのは、かたみの品を手元に残すのが辛かったからなのだが、供養をおえて寺を出たとたん鈴子はそのことを悔いた。郊外の桜並木は夕空を被って、まっすぐに駅まで続いていた。

たったひとりの家族を喪ってしまった。この悲しみを誰にうちあけても、同情はされまい。きっと人は、たかが猫だと笑うだろう。二人きりで過ごした九年間の暮らしを、つぶさに見ていた人は誰もいないのだから仕方ないが。

リンはその名の通り、鈴子の分身だった。九年前の冬の夜に、迷ったのか捨てられたのか、マンションの前の路地で鳴いていた。風邪をひいて両目が脂につぶれ、痩せこけた体を慄わせて母を呼んでいた。部屋に連れ帰ってもたぶんもたないだろうと思っていちどは立ち去ったが、鳴声が耳について離れなかった。その夜から、鈴子とリンとの九年間の暮らしが始まった。

獣医が言うには、ドライフードに含まれているマグネシウムが小さな体の中に蓄積して、腎臓を壊してしまったのだそうだ。楽にしてあげましょう、と獣医が口にしたとき、鈴子は頭の中が真白になって、診察台からリンを奪い返した。

二軒目の動物病院でも同じことを言われた。それから三日間会社を休んで、鈴子はリンの末期を看取ったのだった。

尿毒症を起こして苦しみ続けるリンを胸の中に抱きながら奇蹟を待った。三日目の朝方、息が荒くなり、手足が棒きれのように硬く冷たくなり、ひとしきりつらい息を吐いてリンは死んでしまった。

ドライフードを与え続けたのは、リンの好物だったからだ。他の餌にはあまり興味を示さず、ドライフードと水さえあればリンはいつもご機嫌だった。

煙草のパッケージにだって「あなたの健康を損なうおそれがありますので吸いすぎに注意しましょう」と書いてあるのに、ドライフードの袋にはどうして何の説明もなかったのだろう。

桜並木を歩きながら涙が渇れてしまうと、怒りが滾ってきた。自分はそうとは知らず、リンに毒を与え続けていたのだと思った。リンを殺してしまった。

動物寺のお坊さんは、泣きくれるたったひとりの縁者をやさしく諭してくれた。寿命ですよ、と。猫の年齢は人間の四倍に勘定するのだから、この子は決して短命だったわけじゃないんですよ、と。

しかしその言葉は慰めにはならなかった。三十六歳という年齢が寿命であるはずはない。そして、生まれたての仔猫だったリンは、いつの間にか鈴子の年齢を追い越していた——。

駅前は塾帰りの子供らで賑わっていた。寺からの長い道を、とぼとぼと一時間もかけて歩いてきたのだった。どうしても駅の改札をくぐる気になれず、鈴子はたそがれの沿線をまた歩き出した。リンのいない部屋に帰りたくはなかった。

マンションまでの一駅を歩くうちに、いくらかでも気持を切り換えなければ。

鈴子が線路ぞいの小さなペットショップの前に立ち止まったのは、春の日の昏れなずむ時刻である。

通勤電車の窓から毎日眺めているはずなのに、なぜかその店には見覚えがなかった。新しく開店したのだろうか。それにしては店先の造作が古ぼけている。

闇ににじむネオン管を見上げて、鈴子は驚くよりも悲しい気持になった。

「リン、だって……」

偶然にしてもひどすぎる。くすんだショウ・ウィンドウに、ローマ字の筆記体で店の名がそう書かれていたのだった。

「いらっしゃい」

仔犬の眠る籠の奥から、痩せた老人が顔を覗かせた。

「ただいまセール中です。何でも二割引。ペットのお値段は相談しましょう」

「いえ、そうじゃないんです」

と、鈴子はあわてて手を振った。

「お店の名前が、うちの猫と同じだったから」

「ああ、そう。リンちゃんかね」

生温い春の宵だというのに、老人は革のコートに灰色の厚いマフラーを巻いていた。

「だったら、キャットフードがお買得だよ。全品二割引。ドライは置いてないがね」

え、と鈴子はショウ・ウィンドウの中に無造作に積み上げられた餌の山を見渡した。

「どうしてドライは置いていないんですか」

「そりゃあんた、あれは毒だからね。マグネシウムが添加されているから、長い間には腎臓を痛めちまうのさ。ありゃだめだ。毛並なんかは良くなるけどね」

「やっぱり、そうなんですか」

老人はにっこりと笑いかけて、鈴子を手招いた。店内はやさしい獣の匂いに満ちていた。

「何と言っても猫には白いごはんが一番。カツブシにチリメンジャコか海苔を足してね、ごはんに混ぜる。面倒ならばフレークの缶詰でもいいが」

「でも、うちの子はドライが好きだから」

思わずそう口にすると、リンがまだ生きているような気がして、胸が軽くなった。

「だめだめ。メーカーは猫の体のことなんて考えちゃいない。ともかくガツガツと食べてくれる餌は売れるからね。人間だってほら、うまいものはたいがい体に毒だろう」

それにしても色気のない店だ。壁にはぎっしりと籠が積み上げられ、おとなしい仔犬や仔猫が眠っていた。店の前を通勤電車が走り抜け、窓の明りが壁を染めても、犬や猫は少しも驚かずにじっと体を丸めて鈴子を見ていた。

リンは性格の穏やかな猫だった。毎日ひとりぼっちで留守番をしていても、決していたずらはせず、部屋を汚すこともなかった。鈴子がただいま、とドアを開けると、いつも靴箱の上に座って出迎えていてくれた。

「お嬢さん、動物が好きだね」

「はい。大好きです。もう、お嬢さんっていう齢じゃないけど。しっかり行き遅れてます」

「動物好きの人は目付きでわかる」

「目付き、って？」

「ペットを見る目じゃないんだよ。子供とか恋人とかを見るみたいに、動物を見る」

老人は籠の中を見入る鈴子の横顔を覗きこみながら、おかしそうに笑った。

「リンちゃんのせいで、行き遅れたのかな」

無躾（ぶしつけ）な言い方には聞こえなかった。

言われてみれば、そうかもしれない。何しろ九年の間、外泊をしたためしがなかった。リンをペットホテルに預けて旅に出ても気が気ではなかったし、デートはいつも早々と切り上げて帰った。そんな暮らしが二十五の齢から九年も続けば、縁遠くなるのも当り前だ。

「おじさん、私ね、リンしか家族がいないの」

「へえ……そりゃ淋しいね」

「今どき珍しいんだけど、施設で育ったから」

めったに他言しないことを口に出してしまったのは、この店の温かな匂いのせいだろう。

「リンちゃんと同じ境遇ってことか」

「そう。捨て猫よ。おたがい身寄りがないからね、うまくやってきたの」

老人はふっと溜息を洩らしてから、静かな声で呟いた。

「ああ、そういう話はいいよ。愚痴は聞いてやってもいいが、話すほうは辛くなる――ところで、もう一匹いらんかね」

いらないわ、と言いかけて鈴子は唇を噛んだ。リンのかわりはいらない。

「犬は？」

鈴子はかぶりを振った。籠の中の犬や猫はどれも可愛いが、とても連れ帰る気にはなれなかった。

老人に嘘をついていることが辛くなって、鈴子は膝を抱えた。

「おじさん、私ね、リンを殺しちゃったの。毎日毎日、マグネシウムの入ったドライフードを食べさせて」

べつだん驚くふうもなく、老人は鈴子の悲しみを庇(かば)ってくれた。

「ふむ。だがそれはあなたのせいじゃない」

「私のせいよ。朝から晩まで部屋にとじこめて、淋しい思いをさせてね。それで、ずっと毒を食べさせてた」

ほの暗い蛍光灯を見上げて、鈴子は涙を嚙んだ。

人並みに恋はした。だが必ずリンの待つ部屋に帰ってきた。いちど別れぎわの捨てぜりふで言われたように、それほどまで猫に執着する自分を愚かしいとは思わない。

「さぞ悲しかろうねえ」

まるで鈴子の心の中を見透かすように老人は言った。「そういうご事情なら知らん顔はできん。ちょっとおいで」

老人は鈴子の肩を抱き起こすと、籠や砂袋を積み上げた店の奥に導き入れた。

「なに、これ」

旧式のレジスターの下にステンレスの檻(おり)があった。仔犬ほどの大きさの、見たこともない動物が入っていた。

「シエ、というんだがね」

「シエ？……」

「ちょっと変な格好だが、怖くはないだろう」

「かわいい」

たしかにそう思った。

「爬虫類、ですか？」

「さあ。実は十日ほど前に中国人らしい客から預かったのだがね、二日間の約束で。ところがそれきり引き取りにこない。片言の日本語で説明をしとった。何でもこれはシエという伝説の獣で――」

言いながら老人はレジスターの上のメモに、ひどく難しい漢字を書いた。

獬――何とも怪しげな字だ。

「これで、シエと読むんだそうだ。日本語だか中国語だか知らんがね。見てごらん、まず顔がキリン」

「キリン？」

「ジラフじゃないよ」

獬の字に並べて、老人は達者な文字で「麒麟」と書いた。

「で、額には鹿の角、足には牛の蹄(ひづめ)、尻尾は虎だ。体はね、ほら鱗(うろこ)に被われている」

「ほんとだ、すごい……」

褒められたことがわかったのだろう、シエは前足をつっ張って、自慢げに背筋を伸ばした。

睡(ねむ)たげな二重の瞼は馬に似ている。碁石ほどの鱗に被われた体は精悍(せいかん)で、猟犬のようにたくましい。少し間が抜けて見えるのは、体に比べて頭が大きいからだろう。

「こうしておいても仕方がないから、月曜には保健所に持って行こうと思っているんだが」

「保健所ですって？　とんでもないわ」

「まあ、こんな不細工な動物は引き取り手もいるわけはないから、たちまち捨て犬と一緒にガス室送りになるだろうが、こっちも妙なものを置いて警察沙汰にでもなったらかなわんしね」

「だったら、私がいただいてきます。おいくらですか」

「お金はいらんよ。こっちも往生しているんだ」

「その中国人の人が引き取りにきたらお返しします」

「もう来やしないさ。おおかた持て余していたんだろう。やあ、大助かりだ。どうしても手がかかるようだったら、いつでも返しにいらっしゃい」

老人は檻の扉を開けてシエを抱いた。おとなしい動物だ。よほど飼い馴らされた猫や犬でも、こんなふうに力を抜いて身を委(ゆだ)ねることはしない。別れを惜しむように、立派な角の生えた頭を老人の胸に寄せ、大きな鼻腔を動かして匂いを嗅ぐ。それから睡たげな二重瞼の目を鈴子に向けて、もし見まちがえでないとしたら、たしかにウインクを送った。

「おいで、シエ」

両手を差し延べると、シエは何のためらいもなく鈴子の腕に入った。硬い鎧のように見えた鱗は思いがけぬほど軟かい手触りで、たとえばつややかな鳥毛に近かった。ほのかに果実の匂いがした。

「いい匂い。何を食べてるのかしら」

「それが、よくわからんのですよ」

「わからない、って？」

「ドッグフードと、野菜と、小鳥の餌とを入れておいたんだが、食べた様子はないし。水も飲まない」

「まさか。十日も飲まず食わず？」

「なにしろ伝説の動物だからねえ。ま、いろいろ試してみて下さいな」

老人はビニール袋に鳥や魚や犬や猫の餌を無造作に詰めて、鈴子に手渡した。

「はい、嫁入り道具」

店を出るとき、シエは鈴子の肩ごしに伸び上がって、ひとこえ名残り惜しげに鳴いた。感情のこもった、仔犬の声に似ていた。

「シエ――」

名前をつけるのはよそうと思った。リンに操を立てるわけではない。シエという言葉は口にするだに心地よく、しかも愛らしいこの獣によく似合った。

線路ぞいの道は桜が満開だ。咲いたとたんに花冷えの日が続いたせいか、今年の桜はなかなか散らない。花にうもれた見知らぬ世界に歩みこんで行くような気がして、鈴子は歩きながらシエと一緒に振り返った。

低い枝の張り出したトンネルのような道の先に、リンという名前のペットショップはぼんやりとショウ・ウィンドウの光をともしていた。

2

「ふむふむ。ええと、獬――中国の伝説上の動物。顔は麒麟、角は鹿、足は牛、尾は虎、体は鱗に被われており……」

管理人は古い辞典から目を離すと、老眼鏡をかしげてじっとシエを見つめた。

「なるほど、まちがいないねえ……何だって、ほう……こりゃすごい」

「何か書いてあるの、おじさん」

管理人は唇をぼそぼそと動かしながら、しきりに肯く。鈴子はシエと顔を並べて辞典を覗きこんだ。

「善人と悪人の判別ができることから、裁判の守護神として祀られる、か。こりゃあ便利な動物だな。ときどき借りようか」

「いいわね、それ。お部屋の下見にきた人に会わせるの」

「だが、スーちゃん。こいつに善人と悪人の区別がついても仕方ないじゃないか。口がきけんのだから」

たしか契約書にはペット禁止の注意事項があったが、そもそも管理人がポメラニアンを飼っている。けさは出がけに段ボールの棺桶を覗きこんで、リンのために泣いてくれた。

「でもおじさん、誤解しないでね。この子はリンのかわりじゃないのよ。たまたまペットショップの前を通りかかったら、保健所に連れてくっていうから」

「そんなことはどうでもいいさ」

と、管理人は辞典を閉じ、おそるおそるシエの頭を撫でた。

「おじさん、善人よ。ほら、気持よさそうにしてる」

「動物好きに悪人はいないよ」

「飼ってもいいでしょ」

「そりゃかまわんけど。口から火を吐いたりはしないだろうね。壁で爪をといだり、柱をかじったりするぐらいなら構わんが」

「よく言ってきかせるわ」

ふしぎなことに、いつもは騒々しいポメラニアンが机の上にちょこんと座って、小首をかしげながらシエを見つめていた。

「ボンちゃん、おとなしいわね。誰にでも吠えるのに」

「ああ、そういやァそうだな。神様の使いには一目置いてるんだろう」

「あしたの朝、一緒におさんぽ行こうか、おじさん」

「いいねえ――いや待てよ。近所の人がびっくりするな。屋上で遊ばせるか」

そのほうが賢明だ。動物好きの人にはさぞもてることだろうが、嫌いな人は驚くにちがいない。

「うちのボンと遊ばせてみようか。喧嘩はしそうにないし。やあ、何だか嬉しいな」

この子は人を幸福な気分にさせるのではなかろうかと鈴子は思った。ひとめ見たとたんやさしい気持になって、リンを喪った悲しみから救われた。みちみちすれちがった人も、みなにっこりと微笑みかけてくれた。

「スーちゃんの気持も晴れるといいね」

管理人が角の先をつつくと、シエは鈴子の腕の中で小さなくしゃみをした。

つれあいに先立たれた管理人は、ボンと二人暮らしだ。

エレベーターもない三階建て。十年前に越してきたときは、勇気のいるほど贅沢なマンションに思えたが、今では立派なビルに囲まれて見る影もない。幸い南側は公園なので日当りはよく、家賃も安いから住人の入れ替りもそう多くはなかった。

「シエ、きょうからここがあなたのおうちよ」

囁きかけながら階段を昇る。わかった、とでも言うふうに、シエはつややかな蹄の先で鈴子の胸を押した。

踊り場の空にまんまるの月がかかっていた。三階まで昇り、部屋の前で鍵を探ったとき、鈴子はしみじみ救われたと思った。もしシエと会わなかったら、自分はどんな気持で階段を昇り、誰もいない部屋の鍵を開けただろう。きっと明日も会社を休んで、一日じゅう泣き暮らしたにちがいない。

「あしたは会社に行くけど、大丈夫かな。シエはおとなしくお留守番してられますか」

肯いたように見えたのは気のせいだろう。少くとも虎のしっぽを振って、シエは二重瞼をしばたたいた。ご心配なく、とでもいうふうに。

隣室のドアが機嫌の悪い軋み(きし)を上げて開いた。

「よう、スーちゃん。葬式、終わったか。ご愁傷さま」

米山が真黒に日灼けした顔を廊下につき出した。何だってこの人は一年じゅうTシャツを着ているのだろう。寒くはないのかしら。

「あれ、また猫かよ」

「ちがうわ。ヨネさんがいじめるから、もう猫は飼わない」

「妙なもの飼うなよな。げっ、何だよそれ、トカゲか」

背中の鱗だけが見えたのだろう。米山は大げさに驚いた。

「トカゲじゃないわよ。ほら、可愛いでしょう。シエ、っていうの」

「シェー！」

と、米山は齢相応の洒落（しゃれ）を言った。十年前から少しもみてくれが変わらないのは、つまり色気というものがないからだ。老（ふ）けないのではなく、若い時分から変に老けていた。正確な年齢は知らないが、たぶん鈴子よりは五つ六つ上だと思う。

「ちょっと待ってろよ」

米山は部屋に戻ると、ビニール袋を提げて出てきた。

「これ、リンの香典。そいつに食わせてやれよ。春休みで、まだ子供が少いもんだから余っちまった」

言い方は癇（かん）に障（さわ）ったが、ありがとう、と受け取った。米山の性格がわかり始めたのは近ごろのことだ。ぶきっちょで照れ屋だから、物言いがいちいち大人げない。ベランダごしに忍びこむリンをよくいじめていたが、たぶんそういう愛し方しか知らなかったのだと思う。コップの水をかけられたり、頭に袋をかぶせられたりしても、リンは米山になついていた。

保育園の給食係という職業は、この男の外見からは誰も考えつかない。ときどき、猫に食わせろと言って差し入れてくれる給食の余り物は、十分に鈴子の夕食になった。

「さわってもいいか」

「いいわよ。でもこの子は善人と悪人の区別がつくからね。ヨネさんには噛みつくかもしれない」

たとえ米山が悪人ではなくても、男やもめの体臭だけでシエは機嫌を損ねるかもしれない。

「へんてこなやつだな。角が生えてる。これ、たてがみかな」

シエはおとなしかった。角のあたりからうなじまで生え揃った金色のたてがみを撫でられても、抗うふうはない。へえ、と驚嘆しながら、米山はたてがみから続く頬髭を、太い指先で弄んだ。

「かわいいでしょ」

「ああ。ずいぶんのどかなやつだな。ともかくこれで、俺が善人だということははっきりした」

「ベランダから遊びに行ったら、よろしくね」

「いじめかたも考えなきゃならねえぞ、こいつは」

「変なことしたら嚙みつくわよ、きっと。ほら、牙だってあるんだから」

まるで鈴子の言葉に合わせるように、シエはにっと牙を剝いてみせた。犬の牙よりもずっと大きくて鋭いが、凶悪な感じは少しもしない。

「ということは、肉食か。ちょうどいいや、きょうのメニューはハンバーグだ」

「ごちそうさま。私が半分いただくわ」

米山はしばらくシエの背中の鱗を撫で、いきなり大声で鼻唄を歌いながら部屋に戻って行った。やはりシエは人間を幸福な気分にさせるらしい。

ドアを開けると、リンの残り香が胸を穿った。

カーテンを引き忘れた窓辺に満月がすっぽりと嵌まっていた。灯りをつけようとして、鈴子は上がりがまちにへたりこんだ。靴箱の上で出迎えてくれるリンは、もういない。

自分はリンを喪った悲しみを紛らわすために、この獣を部屋に連れこんだのだと思った。

ごめんね、と鈴子は二つの命に詫びた。

いやなことを思い出した。若いころ、恋人にふられた失意のままに、行きずりの男に抱かれたことがある。名前も知らぬ乱暴な男だった。体を引き裂くような荒々しさは、今も心の傷となって残っている。ときおり、思い出す。男の顔形は忘れてしまったが、荒々しさを拒まずに受け容れてしまった自分を、ときおり思い出す。

たしかそのときも、心の中でごめんねと言い続けていた。別れた恋人と、行きずりの男の両方に。

ふと、頬に温かな舌触りを感じた。

「ありがとう。あなた、やさしいのね」

シエが涙を舐めてくれた。とたんに、悪い記憶は嘘のように消えてしまった。

「シエは、そんなのじゃないよね。ごめんなさい」

もしかしたらシエは、人の心が読めるのではないかと思った。涙を舐めつくされたあとの肌には、ほのかな果実の香りが残った。

部屋の灯りをつけ、シエをテーブルの上に座らせると、鈴子は祈る気持で訊ねた。

「ねえ、シエ。私の愚痴、きいてくれる？」

シエは蹄の先で、こつんとテーブルを叩いた。

「ありがとう。これからずっと一緒に暮らして行くあなたに、こんなことを言うのはいけないと思う。愛し合うためには隠し続けなければならないことがあるわ。それはわかってる。でも、いろんなことがあって、とても辛いの。いろんなことがありすぎたから――」

私ね、自分を不幸だと思ったことはいちどもない。

ほんとよ。強がりじゃないわ。働きながら高校もちゃんと卒業したし、職場にも満足してる。お給料だって女の一人暮らしには十分すぎるくらい。

たぶんふつうの育ち方をした人のほうが、悩みは多いと思う。病気の親とか、道楽者の亭主とか、わがままな子供とか、お金を無心にくる兄弟とか――私、そういう不幸の種は何ひとつないんだもの。叱られることもないし、説教もされないし、自分の思い通りに、自由きままに生きてきた。三十をいくつも過ぎて、こんなに自由な女なんて、そうはいないと思う。

でも、幸福かというと、それはよくわからない。

ねえ、シエ。幸福ってなに？

自慢じゃないけど、君を幸せにしたいって言ってくれた人が、今までに三人もいたの。

それも冗談めかして言ったわけじゃなく、真顔で。

どの人も嫌いじゃなかったわ。少くともそんなことを言わせたくらいだから、憎からずは思ってた。

でもねえ……それって、しらける言葉よ。だって私、他人からもらう幸せなんて信じないもの。

だからいつも、そう言われたとたんに心がすうっとさめて、さよならした。

変かな。私は正しいと思う。どうしてかって、そりゃああなた、当り前よ。小さいころからひとりぼっちでがんばってきて、ひとつひとつ、自分の手で人生を積み上げてきて、どうして最後の幸せだけを他人にもらうの？

幸せがどんなものかということぐらいは、知ってるつもり。それ、淋しくないってことでしょう？

世の中で怖いものは、淋しさだけよ。だから淋しくさえなければ、人間は幸せ。けっこう難しいんだよね、それが。

結婚しちゃえば、きっと淋しくないわ。でも他人に幸せをもらうのはいや。そんな幸せなんて、私は信じない。

リンは、私を幸せにしてくれた。こんなことを人に言ったら笑われるかもしれないけど、シエにはわかるよね。

私、渋谷駅のコイン・ロッカーから生まれたの。それが正確にどこかは知らない。もちろん施設の先生も教えてはくれなかった。私を生んだコイン・ロッカーがどれなのか、今でも知りたいと思う。

プロポーズを断った男の人から、君は冷たい女だって言われた。当り前よね、寒い冬の日にスチールのコイン・ロッカーから生まれたんだから。

それからはずっと、世の中の厄介者だった。少くとも私自身はそう思い続けてきたわ。食事のたびに心から頭を下げてきた。一本の鉛筆にも一冊のノートにも、頭を下げてきた。

だからもういやなの。他人からめぐんでもらう幸せなんて。リンは、私がこの手で拾って、この手でミルクを飲ませて、この手で育ててきた。リンは私を幸せにしてくれた。嬉しいときは一緒に笑ってくれた。悲しいときは泣いてくれた。こういう愚痴も、ちゃんと聞いてくれたわ。

「あなた、聞いてるの」

独りごちながら、鈴子は言った。

シエは短くて太い牛の足を折り畳み、テーブルの上ですっかりくつろいでいる。赤い口を薄く開いてしきりに舌舐めずりをし、とても鈴子の話をまじめに聞いている様子はなかった。

「もうやめるわ。ばかばかしい」

まるで腹いっぱいに餌を食べたあとのように、シエは胴長の体をごろりと横たえ、やがて龍の鼻を震わせながら寝息を立て始めた。

米山からもらったハンバーグを皿に盛り、鼻先に置いても、シエは何の興味も示さずに眠り続けた。

「おばかさん。あなた、見かけ倒しね」

でも、ばかなりに可愛い。

3

宮崎が飲んだくれてやってきたのは、いつも通り終電車のあとだった。

やはりいつも通りに、マンションの前に待たせたままのタクシーに料金を支払い、鈴子が部屋に戻ると、宮崎は靴箱を背にして腰を抜かしていた。

「な、なんだよ鈴子。あれ、なんだよ」

「シエ」

「シエ？——どうしたんだ。あんな怪物、どこから持ってきたんだ」

「そんなにびっくりすることないでしょうに。かわいいわよ」

「かわいくなんかない。ともかく紐で縛るとか、檻に入れるとか、何とかしてくれ」

宮崎は動物が嫌いで、リンにも手さえ触れようとはしなかった。

「そんなことより、ずいぶんご無沙汰ね。邪魔物がいなくなったからやってきたってわけ？」

「いや、そうじゃない。仕事が忙しかったんだ」

病気の猫は気味が悪いと言って、宮崎はしばらく電話もよこさなかった。けさ、ことの次第を連絡したときも、ああそう、と言ったきり慰めの言葉もかけてはくれなかった。

「落ちこんでると思ってさ――しかし、まいったな。これ、また飼うのかよ」

少し気を取り直して宮崎は立ち上がった。

「タクシー代ぐらい自分で払ってよ。ご近所の目もあるんだから」

「ないもの、しょうがないだろ」

あっけらかんとそういうことを口にする情けない男だ。イラストレーターという仕事は格好がいいし、作品を見れば宮崎が非凡な才能の持ち主であることはわかる。だが付き合い始めてこの二年間、宮崎は何も変わらなかった。

たぶん、愛していると思う。見栄っ張りで生活力に欠け、見映えもそこそこによく、生まれ持った才能だけを生き甲斐にしているようなぐうたら男。可愛げがあって怠惰な宮崎は、鈴子にとって居心地のいい相手だった。

もしかしたら、いやたぶん他にも女の一人や二人はいると思う。だが、わかりさえしなければそれはそれでもかまわない。深夜のタクシー代を払わされたり、小遣をせびられたりするのも、口で言うほどの苦労ではなかった。齢も二つ下なのだから、独身ハイミスの無聊を慰めてくれる対価だと思えば、お安い御用だ。

何よりも、「君を幸せにしたい」などとは永久に言いそうもないのがいい。

「猫がいなくなったら、ここに引っ越してきてやってもいいと思ってたんだけどなあ」

怯えながら壁づたいに歩いて、宮崎はシエに近寄った。

結婚はしなくても、宮崎とは一緒に暮らしたいと思う。その意思も何度か口に出した。

それにしても、ひどい言い方だ。

「この子、ずっとここにいるわよ。いやだったらもうこなくてもいいわ」

「本気かよ、それ。だったら考えなくちゃ」

「どうぞお考え下さい。私、あなたがいなくたってちっとも困らないもの」

この男には足元を見られていると思う。少くとも自分が宮崎を愛している以上には、宮崎は自分を愛してはいない。自分にとって宮崎は居心地のいい相手であり、宮崎にとっての自分は、都合のいい女だということもわかっている。

ふいに、シエがテーブルから身を起こした。大きな目を見開いて宮崎を睨みつけ、それから蹄を鳴らして、威厳のある座り方をした。

「うわ、何だよこいつ。おっかねえな」

鈴子も目を瞠った。シエの表情には、それまでの愛らしい印象がかけらもなかった。髭とたてがみを逆立て、やや俯きかげんに鹿の角をつき出し、今にも飛びかからんばかりに前足をつっ張って腰を落とす。上目づかいの目はらんらんと輝いて、敵意をあらわにしていた。

「シエ。いいのよ、この人は悪い人じゃないわ」

言ったとたん、鈴子はひやりとした。シエは善人と悪人を判別できる。

「よしよし、大丈夫だよ。俺は何もしないから」

シエを宥めることも忘れて、鈴子は宮崎の顔を見つめた。

もしかして、悪人？　そうとは思えないのだけれど、でもこの人のことはよく知らない。本当はいったい何を考えているのか、よくは知らない。

その夜、シエは寝室のドアの外に蹲って、一晩じゅう低く唸り続けていた。

ねえ、シエ。宮崎くんって、ほんとは悪い人なの？

私はそうは思わないんだけど。それって、ただのやきもちじゃないのかしら。

リンも初めのころはそうだった。彼がくるたびに尻尾を太くして、ふうふう言って。でも、私の彼氏だっていうことがわかってからは、ご機嫌を窺うようになったわ。だって、宮崎くんは私にとって、大切な人だもの。

たしかにどうしようもない男だわ。稼ぎもないくせに、飲む打つ買うの三点セット。二言目には、俺は天才だって、天才ならばとっくに何とかなってるはずよねえ。

でも、そういうやんちゃな彼が好きなの。今じゃお給料の半分ぐらいがあの人のお小遣になっちゃってるけど、貯金もまだあるし、生活が脅かされるほどではないわ。

たぶんいつか、結婚すると思う。そんなに遠い先のことじゃなくってね。おとうさんになれば変わるわよ、きっと。シエとも、うまくやって行くわ。だからやきもちなんか焼かないで。

あの人は私に幸せをくれた。本人は気付いていないかもしれないけど、私、彼と二人でいるときは淋しくないから。週に一度か十日に一度、ほんの気まぐれにやってくるだけだけれど、やっぱり嬉しいもの。

宮崎くんと結婚したら、たぶん苦労すると思う。でも、覚悟してるわ。ひとりぼっちで生きる淋しさから救ってくれるんだから、多少のわがままは許して上げなくちゃ。

私、齢かな。会社の同僚がどんどん結婚して、悩めるお齢ごろ。

少し苦労をしたいと思うの。幸せを誰かにめぐんでもらうのはいやだからね。どう、宮崎くんって、理想の人でしょう。

ねえ、シエ。

私、ときどき自分が生まれたときのことを思い出すの。もちろん、おへその緒がついていたころの記憶なんてあるはずはないから、勝手な想像だと思う。

真四角の小さな扉がそっと開いて、地下街の蛍光灯の光がさし入ってくるの。わいわいがやがやって、人の声も。クリスマス・ソングも、車のクラクションとかもね。

駅員さんとおまわりさん。とてもやさしい顔をしてた。たぶん、二人とも赤ちゃんがいたんだ。駅員さんが私を毛布ごとコイン・ロッカーから引き出して、すぐにおまわりさんが抱き取ってくれた。冷たくなった手と足とをね、救急車がくるまでずっと、大きな掌（てのひら）にくるんで、温めていてくれたんだよ。

私、泣かなかった。どうしてかって、駅員さんとおまわりさんが、かわりに泣いてくれたからね。交番のうしろの小部屋で、二人して私の手と足を温めながらね、がんばれ、がんばれって、泣いてくれたんだ。

救急隊の人も、看護婦さんも、お医者さんも、みんな泣きながら私を温めてくれた。がんばれ、がんばれって。

だから、がんばったよ。私は頭もよくないし、そんなに美人でもないし、性格も暗いから、たいしたことはできなかったけど、それでも私なりにがんばった。人のお世話になりっぱなしで、生かしてもらって、育ててもらって、がんばらなくちゃ神様に申しわけないもの。

愚痴は言わない。悪いことはしない。泣きもしないわ。そんな資格はないって思うから。

ごめんね、シエ。あなたにしか愚痴を言えないの。涙も見せられないのよ。こんな付き合い方っていやでしょうけど、ごめんね。

宮崎くんと知り合ったとき、どうしようもない男だって思った。

まだ手も握らないうちに、サラ金の借金をね、ぜんぶ肩替わりしてあげたの。自己破産するって泣くから。

そのころは好きでも何でもなかった。でも私しか頼る人がいないんだろうって、そう思ったの。頼られることが嬉しかった。

私の誕生日は三十四年前のクリスマス・イブ。ほんとはその何日か前なんだろうけど、とりあえずコイン・ロッカーから生まれた日。あの日から、ずっとハッピーです。

――起きてよ、シエ。

あなた、何で人の話を聞きながら寝ちゃうの。まるでおなかがいっぱいになったみたいに。

はいはい、愚痴は聞きたくないのね。ごめんなさい。じゃあ続きは、あしたの晩――。

4

桜がいっせいに散り始めた日、鈴子は会社帰りにペットショップを訪ねた。

シエはこの数日間、相変わらず餌を食べず、水も飲まない。次第に元気がなくなり、鱗のつやもくすんできたような気がする。獣医に見せて腰を抜かされるのもいやなので、ともかくあのペットショップに相談してみようと思った。

店はシャッターをおろしていた。

〈永らくご愛顧を賜わりましたが、今般諸事情により閉店することとなりました。あしからずご了承下さいませ。店主。お客様各位〉

この間の安売りは、つまり閉店セールというわけだったのだ。何だか一番厄介な在庫品を体良く押しつけられたような気がして、鈴子は腹立たしくなった。

こうなったら仕方がない。帰ったら動物病院に連れて行って、獣医が腰を抜かそうがどうしようが、診察をしてもらおう。

散り急ぐ満開の花の中に、少し欠けたお月さまがかかっていて、何となく不吉な感じのする晩だった。

マンションの周囲は花にまみれていた。まさか今年の桜がとりたてて盛んなはずはない。十年間、花の美しさに気付かず、俯いて暮らしてきたのだろうかと鈴子は思った。

路地に大きく枝を張り出した桜の下に、管理人が佇(たたず)んでいた。

「スーちゃん！」

鈴子の帰りを待ちわびていたように、管理人は手を振った。鈴子は路地を駆け出した。

「どうしたの、シエが、どうかしたの」

「いや、ちがうんだ。ちょっとトラブルがあってね」

鈴子はほっと胸を撫でおろした。シエが無事ならば、ほかのトラブルなんてたかが知れている。

管理人は溜息をつきながらあたりを窺い、小声で言った。

「落ち着いて聞いて下さいよ」

「落ち着いてるわ。なに？」

「実は――あんたの出て行ったあと、お隣りの米山さんがね」

「えっ、ヨネさん、どうかしたの」

管理人は言いづらそうに、いちど口をつぐんだ。

「スーちゃんの彼氏をぶん殴っちまったんだ」

「なにそれ……」

「何でも彼氏があんたの部屋から荷物を勝手に持ち出そうとして、ヨネさんと揉めたんだよ。やっこさん、スーちゃんが処分してくれって頼んだと言ってたけど、ビニール袋の中に指輪とか通帳とかも入っていたんじゃ、言いわけにならんわな。せめて会社に連絡しようと思って、管理人室に戻りかけたとたん、米山さんが彼氏をめちゃくちゃにぶん殴っちまって」

「わあ……警察沙汰、ですか」

「いや、さすがにそれはまずいと思って。とりあえず管理人室で傷の手当てをしてね、帰ってもらった」

「ごめんなさい。ご迷惑をおかけします」

「なに、おたがい十年もひとつ屋根の下に暮らしているんだから、家族みたいなものさ。ヨネさんのことも、責めないでやってくれよ」

たそがれの空に散りまどう桜を見上げながら、管理人は煙草を一服つけた。

「今年の桜、いいですね」

「そうかな。僕は同じに見えるけど。スーちゃんが大人になったんじゃないかね。ところで——」

と、管理人はこのごろめっきり老けこんだ顔を鈴子に向けた。亭主はけっこう詩人なんですよと、いつだったか死んだおかみさんの言っていたことを、鈴子は悲しく思い出した。

「お節介かもしらんけどね、あの男はあまりいい人間じゃないと思うよ。夜中に酔っ払って女の部屋にきて、タクシー代をばんたび払わせるなんて、かたぎの男がすることじゃない」

「わかってます——」

管理人は小窓のカーテンのすきまから、そんな様子を見ていたのだろう。煙草を吹かしながらとつとつと語る説諭は、恥ずかしく、そして快かった。

「ヨネさんとは、飲みながらよく噂していたんだよ。あんたみたいないい女に、なんでまたあんなろくでなしのヒモがくっつくんだろうって」

「私、そんなんじゃないです。似た者同士だから——」

「冗談はやめなさい」

と、管理人はきつい声で言った。

「七十年も生きていれば、多少は人を見る目はあるつもりだ。ましてや十年もこうしてお付き合いをしておればだね、あんたがどのくらいしっかり者だかは、よくわかる。似た者同士だなんて、スーちゃんのおとうさんやおかあさんが聞いたら嘆くよ」

やり場のない悲しみが胸に詰まって、鈴子は花を見上げた。

「おじさん、私ね――」

「あんたがどんな生き方をしてきたかは知らんよ。そんなことはどうだっていい。だが、これだけは言っておく。あの男はスーちゃんとは釣り合わん。まじめな女はまじめな男と付き合うものだ。自分をばかにしちゃいけない」

思いあぐねた末のせりふのように、管理人の言葉は重かった。

「ヨネさんは？」

「部屋にいるよ。スーちゃんの全財産は預けてあるから、寄って行きなさい」

管理人はにっこりと笑って、鈴子の手を握ってくれた。

大きな掌の感触が、いつまでも残った。階段を昇りながら、鈴子は踊り場の月明りに手をかざし、足元を見た。まぼろしの記憶にある駅員さんとおまわりさんの掌の温かさがありありと甦った。あの感触と同じだった。

米山はひび割れた廊下の先に立って、ぼんやりと花を見ていた。

「おかえり」

ぶっきらぼうに言って、米山は全財産の入ったビニール袋を差し出した。

「おっさんに説教されてたろ。何だか立たされ坊主みたいだったぜ」

笑いながら米山は、おどけて路地を見下した。

「ごめんね、ヨネさん」

「俺も言いたいことは山ほどあったけど、待ってるうちに忘れちまった。遅かったじゃないか」

「うん。ちょっと寄り道してたの」

「じゃあな——あ、そうだ。エサ、エサ」

ドアを開けて、米山は段ボールのミカン箱を廊下に引きずり出した。

「きょうは保育園のお花見でさ。バーベキューの肉が余っちまった。あと、ヤキソバと野菜。レンジでチンして食え」

涙が出てしまったのは、横なぐりに散りかかる桜のせいだと思う。

「ばっかやろう。大事な彼氏をぶっ飛ばしたのはこっちなんだぜ。あやまる前に泣かれたんじゃ立つ瀬がねえじゃねえかよ」

米山はぼさぼさの頭を掻きながら、汗くさいタオルを鈴子の腕に投げた。

そうじゃないよ、ヨネさん。私、今まで気付かなかった。十年も、ヨネさんにごはんを食べさせてもらっていた。もう他人様(ひとさま)の世話にはならないって、ひとりでがんばるんだって、偉そうに考えていても、毎日ヨネさんの作ったごはんを食べていた。幸せをめぐんでもらっていた。

すごくおいしいんだよ。どうしてこんなにおいしいんだろうって、ふしぎに思っていたの。でも、今やっとわかった。ヨネさんはやさしいんだ。

「あのなあ、スーちゃん――」

と、米山はドアを開けかけて、背中で言った。

「なんなら、毎日あったかいメシ、食わしてやってもいいぜ。俺、あいつみたいにカッコよくないし、学校も出てないし、取柄といったらガキのメシ作るだけなんだけど、でも、子供らはみんな俺の作ったメシを残さず食うから。うまいうまいって。それで、みんなスクスクでかくなるんだ」

温かな言葉の意味を、鈴子は奥歯で嚙みしめた。

「私の背も、もう少し伸びるかしら」

「さあな。三十過ぎて背は伸びねえだろうけど、背筋はしゃんとするよ。おまえ、猫背だから」

ドアが閉まったあとも、鈴子はしばらくの間、花吹雪の中に立っていた。


「シエ。ただいま」

灯りをつけると、シエはテーブルの上に身を横たえたまま、気倦そうに顔だけをもたげた。

きょう一日でまたやつれたように見える。

「お肉、焼こうね。それともシエは中国人だから、ヤキソバかな」

力尽きたように、ごつんと鹿の角がテーブルを叩いた。鱗は不穏な褐色に変わっていた。

「シエ……」

鈴子はシエの体を抱き寄せ、たてがみに顔を埋めた。鼓動は軽く早く、息は荒かった。

「お医者さん、行かなきゃ」

抱き上げようとすると、シエは前足をつっ張って鈴子を拒んだ。

「だめよ、シエ。言うこと聞いて」

抗う足を掴んで、鈴子はその冷たさにおののいた。リンの命が喪われてしまったときと同じ冷たさだった。

どうすることもできずに、ぐったりと力を抜いた体を抱きすくめると、荒い呼吸は安らぐように静まり、やがて間遠になった。

「シエ、死んじゃやだよ。どうしてよ。どうして――」

病気ではない。シエの体は萎えしぼむように衰え切っていた。

「どうして何も食べてくれないの。こんなに痩せちゃって」

わずかに瞼を上げて、シエは眩げに灯りを見た。

「まぶしいの？」

シエは人間のような肯き方をした。灯りを消すと、花ごしの月明りが部屋に満ちた。散りまどうひとひらひとひらが影になって、白い部屋をまだらに染めた。

たった一日で、シエは乾いてしまった。まるで木彫の像のように。思いがけぬほどの悲しい軽さだった。窓辺に寄ると、シエは窓の高さの花を見上げて、穏やかな笑みをうかべた。

「どうしてよ……」

伝説の麒麟の顔を持ち、立派な鹿の角を生やし、虎の尾と牛の足を持った神の獣。こんな動物が今の世の中にいるわけはない。

善人と悪人の分別をし、そしてたぶん鈴子の考えた通りなら――シエは人間の不幸を食べ、涙を舐めて生きていた。

慄える舌を長く伸ばして、シエは鈴子の涙をすすった。

スーちゃん。

ぼくはスーちゃんが好きだ。五千年も生きて、数えきれない人と会ってきたけど、スーちゃんが一番好きだ。

なぜだか、わかるかな。それはね、スーちゃんの不幸が一番おいしかったから。スーちゃんの涙が、一番濃くて、甘かったから。

自分のことを不幸だと思っている人間はね、実はちっとも不幸じゃない。そんなの、愚痴を食べてみればわかる。まずいから。

スーちゃんは、幸せは淋しくないことだって言ったよね。あの一言はとてもおいしかった。ほんとうの不幸の味がした。

スーちゃんの愚痴は、食べきれないぐらいのごちそうだった。毎晩、おなかがいっぱいになって、食べきれないうちに睡くなっちゃった。

もう、ごちそうさまです。だってスーちゃんは、すっかり不幸を吐きつくして、じきに幸せになるからね。

不幸の分だけ、ちゃんと幸せになれるよ。ほんとだよ。一生の恋人になる人には、何ひとつ隠しごとをせず、すべてを話して下さい。恥ずかしいことは何もない。そして、同じような生まれ育ちのその人の苦しみは、スーちゃんがみんな食べてあげて。

ぶきっちょな人だけど、とてもとても、いい人です。郊外に小さな家を買ってね、子供は三人。双児の女の子と、おとうさんにそっくりの、ぶきっちょな男の子です。

幸せは少しずつ、ゆっくりと嚙みしめて下さい。スーちゃんの不幸はぼくがぜんぶ食べちゃったから、今までの苦労は愚痴じゃなくって、笑い話になりました。涙も嬉しいときにだけ出るはず。

ほんとはね、食べるものがなくなっておなかがすいたから、またよそへ行こうと思ったんだ。でも、やめた。

もう疲れちゃったんだよ。ぼくは五千年も人の不幸を食べ続けて生きてきたからね、くたびれちゃった。ちかごろでは昔みたいにおいしい不幸もなくなったし。

ずいぶん働いたから、仏様もぼくのわがままを許してくれると思う。

スーちゃんの不幸を食べつくしたとき、ぼくは大変なことに気付いちゃったんだ。聞いてくれるかな。

あのね、スーちゃん。ぼくは不幸なんだ。だってそうだろ、ぼくの不幸を食べてくれる人は誰もいないんだもの。ぼくの涙をすすってくれる人も、いないんだよ。

それに気付いたとき、五千年分の疲れがどっと出た。だからもう、不幸を食べるのはやめて、死にます。

長い長い一生の終りに、今までで一番おいしい不幸と、甘い涙をめぐんでくれたスーちゃんに、心からありがとうを言います。

さよなら、さよなら。もう泣かないで。

毎年桜が咲いたら、ほんのちょっとだけでいいから、ぼくのことを思い出してね。

大好きだよ、スーちゃん。五千年の旅の終りに、スーちゃんに会えてよかった。

さよなら、さよなら――。

シエは最後の力をふりしぼって、鈴子の涙を舐めつくしてくれた。

「だめよ、シエ。死なないで。私、幸せになんかなりたくない。あなたと暮らしたい」

シエはゆったりとかぶりを振り、切ない末期の息を吐きながらひとしきり四肢をつっぱると、それきり動かなくなった。

「いやよ……」

シエは死んでしまった。散り急ぐ花が闇をまだらに染める月明りの中で、シエのなきがらはやがて形を失い、果実の匂いのする煙になって、窓ガラスを通り抜けて行った。

幸福を拒み続けることの愚かしさを、シエは教えてくれた。そんなものは、まやかしのやさしさなのだ、と。

吹きこぼれる花のただなかにたゆたい消えて行くシエの魂を追いながら鈴子は、世界で一番幸せな人間になろうと思った。

もしシエの味覚にあやまりがなければ、自分は今まで、世界で一番不幸な人間だったのだから。

ああ、それにしても——今年の桜はどうしてこんなにきれいなんだろう。

姫椿

別れぎわに、銀行員は白い息を吐きかけながら言った。

「ねえ社長。ずいぶんお疲れのようですけど、妙なことを考えちゃいけませんよ」

目が据わっていた。悪い酒なのかもしれない。だが酔いにこと寄せて、ようやく本音を口にしたとも取れる。

「妙なこと、とは？」

タクシーの窓ごしに、高木は訊き返した。

「体を犠牲にして、奥さんやお子さんの将来を安泰にするってことです」

「そういう心配ならご無用。僕はそれほど律義者じゃないよ」

憮然（ぶぜん）として閉めかけた窓に肘（ひじ）を突き入れて、銀行員は声を絞った。

「なら社長、あの保険は何です？」

「保険？――」

「とぼけたってだめです。そのくらいの調査はしてありますよ。三社から二億九千万、ちがいますか」

高木は銀行員を睨み上げた。この男のことを良くは知らない。返済が滞り、利息も支払えなくなったとたんに支店の奥からいきなり現れ、今後一切の担当者ということになった。要するに不良債権の始末屋なのだろう。物腰も言葉づかいも伝法で、とうてい都市銀行の行員には見えない。それまで懇意にしていた融資係も支店長も、この男に実務を譲り渡したまま高木の前に姿を見せなくなった。

「つまらん調査だけはきちんとするんだな」

「私の仕事ですから」

「君らのせいで、いったいどのくらいの負債を背負わされたのか、わかってるのか」

「銀行のせいにしないで下さいよ、社長。借りるか借りないかの決断はいつだってそちらがしたんでしょう」

「勝手な言い分だな。借りてくれと頭を下げたのはそっちじゃなかったのか。この結果はどう考えたって共犯だろう。支店長も融資係もすっかりシャッフルしちまって、あとは事務的に話をまとめるってわけか」

「正当な人事異動ですよ。邪推しないで下さい」

「だったらなぜ新しい支店長も融資係も、挨拶にこないんだ」

「あのねえ、社長――」

と、銀行員は苦笑しながら酒臭い息を吐きかけた。「そんな子供みたいなこと、言わないで下さいよ。何だってわかってるくせに」

「だったらそっちも、他人の命にまでとやかく口を出すな。金の貸し借りはともかくとして、生き死にぐらいは勝手に決めさせてもらう」

銀行員の表情が剣呑になった。やはり酔ってはいないのだろう。窓ごしにしばらく睨み合ったあとで、銀行員は凄むように言った。

「月末に、金利だけはつけて下さいよ。社長のこと、信じてますから」

「僕は君らのことを信じちゃいない」

事情のあらましがわかったのだろうか、タクシーの運転手は間合いよく車を出した。

「どちらへ」

と、年配の運転手は訊ねる。車を見送るでもなく、銀行員の姿は夜の街に消えていた。

「駒沢まで」

「高速に乗りますか」

「いや、下を走ってくれ」

手形の決済に追われて、給料も取れぬ日々が続いている。もちろん私財も底をつき、女房のへそくりまでことごとく持ち出してしまった。今さら高速代を倹約したところでどうということもないのだが、金の使い方が変に細かくなった。不動産屋もこうなればおしまいだ。

空車の赤ランプばかりが目立つ街路をぼんやりと見つめながら、とうとう追いつめられたと高木は思った。

「保険だ何だって、あんまり穏やかじゃあないですねえ、お客さん」

噺家（はなしか）のような江戸弁で、老いた運転手は言った。

「冗談だよ。ちょっと脅してやっただけさ」

「ならいいですけどねえ。時節がら、ちょいとビックリしちまいました」

「タクシーも良くはないだろう」

「そりゃあ、お客さん。あたしは東京オリンピックの前からタクシーに乗っててね、個人でも二十年になるんですけど、こんなのは初めてです。子供らはみんな独立して、古女房と二人きりだから何とか食って行けますがね。お客さん、お子さんは？」

「高校二年の娘をかしらに三人」

「へえ……そいつァ大変だ。ちょうど金のかかる年頃だねえ。あたしなんか、景気のいい時分に子供を育てられたから、倅（せがれ）を二人とも大学まで出せました。こういうのも運のうちですかねえ」

なるほど、そういう運というものもあるのかもしれない。この事態が十年早くやってきていれば、裸一貫からやり直す気にもなれただろう。十年遅ければ、子供らは自立していたはずだ。四十も半ばを過ぎた夫婦が、育ちざかりの子供を抱えて路頭に迷うことはできない。

「少し寝るから、近くまで行ったら起こしてくれ。駒沢公園の三越のそばだ」

「いいところにお住まいですねえ」

「今は、な」

言ったなりシートに埋もれて、高木は狸寝入りを決めこんだ。眠くはないが、運のいいこの老人の饒舌に付き合いたくはなかった。

暗く沈んだ冬の街が、窓の外を過ぎて行く。

かれこれ一年も、身の始末をつける方法を考えあぐねてきたが、やはりシティ・ホテルの一室で正体もなくなるほど酒を飲み、通風口にロープを吊るして首を絞るのがよかろう、と思う。大きなホテルならそれなりの適切な処置ができるだろうから、さほどの迷惑にもなるまい。密室での首吊りは確実だし、死体の発見も早いはずだ。第一、醜い死にざまを家族に見せなくてすむ。

車が青山通りに入ったあたりで、高木はなにげなく時計を見た。午後十時十五分。何とも中途半端な時間である。

ふと、今晩でもいいか、と思った。

計画を日延べする理由は何もなかった。むしろ銀行への面当てには、もってこいの晩だ。

「運転手さん、新宿のホテルにやってくれないか」

え、と運転手はルームミラーを覗きこんだ。

「何だか家に帰りたくなくなった」

　スピードを緩めながら、運転手は不安げに訊ねた。

「あの、お客さん。まさかさっきの話の続きじゃないでしょうね」

「さっきの話、とは？」

「ですからね、何だ、その、生き死にの話ってやつ」

「冗談だって。いらぬ心配はしなさんな」

「なら、どこのホテルにします？」

　訊き返されたとたん、ぞっと髪が逆立つ思いがした。どこと決めているわけではないが、つまりそこが四十八年間の自分の人生の、終の部屋になる。死に場所を訊ねられたのだ。

「どこだっていいよ。どうせどこもガラガラだろう」

「そりゃあそうですけど……駒沢も新宿も似たようなものですよ。きょうのところはお帰りになったほうがよかないですか」

　ねえお客さん、と運転手はまるで説得でもするように言った。

　四十年間もルームミラーの中で悲喜こもごもの人生を見つめてきた、いわばプロの直感というものだろうか。驚く一方で、高木は無性に腹が立った。

　いったい何の権利があって、こいつは俺の命に干渉するのだろう。思いあぐねた末の決意なのだ。ありとあらゆる模索をし、家族の未来を考えた結果、夫として父としてこれが最善の方法であると決めた。他人のおまえに何がわかるというのだ。

やり場のない怒りを噛み殺すと、急に胸が悪くなった。冷えた汗が額に滲み、饐えた匂いのする生あくびが出た。

「止めてくれないか。気分が悪い」

車が急停止すると、高木はガードレールを踏みこえて、街路樹の根元に吐いた。

風はないが、しんしんと底冷えのする晩だった。街路樹の支柱に肩を預けて屈みこんでいると、あしうらから尻へ、尻から背中へとコンクリートの冷気が這い昇ってきた。

「やっぱり疲れてるんですよ、お客さん。悪酔いしちまったんでしょう」

車から降りて、運転手が背中をさする。何て鬱陶しいやつだと高木は思った。

「酒じゃない。車に酔ったんだ」

「あたしの運転はそう荒くはないですよ。疲れてるんだ」

「だから家に帰れというのか。大きなお世話だ」

唸り声を上げて吐きつくしてしまうと、憑きものが落ちたように体が軽くなった。汗をかいたせいで冷気はむしろ心地よい。

眼鏡をはずし、マフラーで顔を拭う。正月気分も過ぎて、青山通りは閑散としている。

不景気を絵に描いたような、虚ろな夜だった。

「ちょっと仕事をしてくるから、ここで待っていてくれないか。客を探すよりましだろう」

財布の中から一万円札を摑み出し、運転手の胸に押しつけた。

「仕事、ですか？」

「ああ。ほら、あそことあそこ。地上げした土地が駐車場になってるんだ」

オート・パーキングの黄色い看板を高木は指さした。

「へえ……たいしたもんですねえ」

「どこが。一時間四百円じゃ、利息の足しにもならない。おまけに若いやつらは、オート・パーキングの踏板をふんづけて、ただで止めることを知ってるんだ。どうにもならない虫食いみたいな駐車場が、このあたりだけで四つもある」

一万円札を受け取ると、運転手は気の毒そうに高木を見つめた。

「待つのは構わないですけど――」

「三十分でいい。機械を細工しているやつをとっつかまえてぶん殴ってやる」

「戻ってきて下さいよ」

「三十分たったら行っていい。車ならいくらだっている」

冬の舗道に寒々しく灯る黄色い看板をめざして高木は歩き出した。


女房の口癖によると、自分はちかごろふつうではないそうだ。

ふつうの神経でいられるはずはない。銀行の指図どおりにリストラを進めた結果、会社には賃貸物件係の何人かの社員と、事務員しかいなくなった。莫大な負債を背負った敗戦処理が続いている。

町金融の借り回しと身内からの寸借で、何とか手形の決済だけはしているものの、それもいよいよ限界だ。打開策は皆無で、事態は膠着（こうちゃく）しきっている。

おそらく銀行は、不渡りを待っているのだろう。倒産すればたちまち虫食いの駐車場や本社ビルや自宅を担保に押さえ、不足分の貸付は不良債権として処理する。彼らにしてみれば、最も正当な手順にちがいない。

だが、そうとなれば無担保で大金を貸し付けている町金融は黙ってはいまい。むろん不義理を重ねている身内を頼るわけにもいかないから、家族は路頭に迷うはめになる。

高木に残された唯一の方法は、生命保険金に家族の未来を託することだった。それしか道はないのだと決めてから、たぶん高木はふつうではなくなった。

昼ひなかから酒を飲み、あてどもなく街をうろつく。長い習慣で身なりだけをきちんと整えているのが、かえって異様だ。

女房が高木に黙ってパート・タイムに出ていることも知っている。給料も持ち帰らなくなり、貯金もなし崩しに使い果たされてしまっては、生活の防御策はそれしかないのだろう。おかげでとにもかくにも、家庭は形をなしている。

駐車場には何台かの車が、蹲（うずくま）る影のように止まっていた。十年も前に、一坪三千万という途方もない金で手に入れた土地だが、結局はにっちもさっちもいかぬ塩漬けになって、ほとんど意味のないオート・パーキングに姿を変えた。

ひしゃげた金網にもたれて煙草をつけると、夜空から降り落ちるように無力感がやってきた。立つことも座ることもままならず、ただ重い体を金網に預けて煙草を吹かす。

やはり今晩にしようと高木は思った。家に帰って子供らの寝顔を覗けば、たぶん決心は萎える。

汗が冷え切って、体はすっかり凍えてしまった。

ポケットの奥深くで携帯電話が震動した。

〈ごめんなさあい。いま、どこですかァ〉

闇を駆け抜けてきた女房の明るい声に、高木は微笑んだ。

「パーキングの見回りをしてる。何かあったのか」

〈べつに何もないけど、遅くなるのかなって思って〉

答えに窮して、高木は星座を見上げた。

「寒いな、きょうは」

〈声が震えてますよォ。風邪ひくから早く帰ってらっしゃい。パーキングって、どこのパーキングですかァ〉

「青山通りだよ。表参道の入口のところ」

〈へえ、懐しいわねえ。そんなとこにもパーキングがあったの〉

「そこいらじゅうにあるからな。このあたりだけで四ヵ所もある」

言ったとたんに、唇が凍えついた。ここが自分と妻にとって懐しい場所であることをすっかり忘れていた。

〈アパート、まだあるかなあ〉

ふいに甦った記憶が、高木を困惑させた。ここはめくるめく繁栄の向こう側に、高木が顧みることもなく置き去りにしてきた街だった。

〈どうしたの？——酔っ払ってますね〉

「いや、酒は醒めた。そうだな、ここいらだったな」

〈いやねえ……忘れちゃってたんですかァ。酔っ払いがそのまま居座っちゃって、大家さんに出てけって言われたのよ〉

記憶の細部をたぐり寄せることはできなかった。忘年会だか新年会だか、ともかく勤務先の無礼講の帰り、酔った勢いで妻のアパートに転がりこんでしまった。やはり寒い冬の日だったことだけは覚えている。

「アパートの名前、何ていったっけ」

〈福寿荘。表参道の交叉点から南青山の方へ少し入って、細い路地をごちゃごちゃ行ったところ〉

「探してみるよ」

〈いいわよォ、そんなの。早く帰ってらっしゃい〉

「いや、探してみる。もしかしたら、そうとは知らずに地上げしちゃったかもしれない」

あら、と驚いたなり、妻はおかしそうに笑った。

「冗談じゃないぞ。あのころは営業だって三十人もいたんだ。俺だっていちいち現場を回っていたわけじゃないんだから」

言いながら高木は身震いをした。

大学を出て不動産会社に就職し、そこで妻と知り合った。記憶はすでに不確かだが、なりゆきまかせに手近の女を口説いたわけではない。少くとも酒の勢いを借りて、意中の女性を手に入れたのだと思う。だとすると、この街はかけがえのない人生の出発点ではなかったのか。

〈じゃあ、報告を楽しみにしてます。寄り道しちゃだめですよ〉

妻の細くやさしい指が電話を切った。

贅沢というものに決してなじめぬ、いや自らなじもうとしない女。歯痒(はがゆ)いくらいに呑気で、目立つことの嫌いな妻である。

この街の古アパートで暮らしたのは、せいぜい何ヵ月かのことだったのだろう。口やかましい大家に追い立てられて、郊外に引越したのはまだ春の来ぬうちだったと思う。

福寿荘というアパートがあったとおぼしきあたりには、マンションが建てこんでいた。

建築基準に沿った三階建ての小さなマンションばかりが隙間なく建ち並び、二十年前の街並をしのぶよすがもない。仮にあのころ、そうとは気付かずに地上げをしていたとしても、土地は業者の間を次々と転売されたのだから、こだわるほどのことではないと思う。

ふと温かな風を頰に感じて目を上げると、路地の狭い夜空に煙突がそそり立っていた。頂からはほのかに煙がたなびいている。表参道のネオンを受けて、「椿湯」という文字が読み取れた。

ビルとマンションと、虫食いの駐車場しかないこんな場所に銭湯が残っているとは面妖である。

路地に面して、植木の繁るままにたわみかかる板塀が続き、そのさきにこれでもかと言わんばかりの唐破風を担いだ銭湯の玄関があった。古めかしいたたずまいは、まるでマンションのただなかに大あぐらをかいて身じろぎもせぬ、老いた職人のようだ。

とっさに、これはまぼろしかもしれないと高木は思った。あるいは、タクシーの中で夢を見ているのではなかろうか。

眼鏡をはずし、掌で顔を拭う。椿湯は二十年前たしかそこにあったそのままに、温かな湯気を天窓から立ち昇らせている。

酒の醒めきらぬ酔狂な気分で、高木は暖簾をくぐった。

下駄箱に靴を入れ、たてつけの悪い引戸を開ける。

「はい、いらっしゃいまし。十二時でしまいますので、お早く」

流れる演歌は有線放送だろうか。女湯が覗きこめるほどの低い番台に、人形のように小さな老人が背中を丸めていた。

「タオル、ありますか」

「あいよ」

乾いた古タオルが出てきた。

「お足を出して買うこたァねえよ。ちゃんと洗って返しておくれ」

「じゃあ、石鹼とシャンプーを下さい」

「あいよ。使いっきりのちっちえのでいいね。これは三十円、ふたっつで六十円」

釣銭を手渡しながら、老人はじっと高木の顔を見つめた。

「お客さん、せんにここいらにいたろ」

「え?……ええ、いるにはいましたけど、二十何年も前ですよ。それも、ほんの何ヵ月か」

「変わらんねえ」

「そう、ですか……」

福寿荘に風呂はなかったから、銭湯に通った。だとするとたぶんここなのだろうが、細かな記憶はかけらも残ってはいなかった。

がらんとした板敷の大鏡の前で、ラクダの股引(ももひき)をはいた老人が体操をしている。洗い場の中も人影はまばらだった。

「本当に覚えてらっしゃるんですか」

「あいよ。自慢じゃあねえが、お客さんの顔は忘れねえ。毎晩お足をいただいてたんだからね」

お愛想にちがいないと思うそばから、老人は驚くべきことを言った。

「奥さん、元気かい」

「は……女房、ですか」

「奥さんだか彼女だかは知らねえけど、毎晩一緒に来てたじゃねえか。あれ、野暮なこと訊いちまったかな」

「いえ、女房です。引越してから一緒になりました。元気ですよ」

「可愛い娘だったよなァ。顔はまあ、十人並みってところだが、スタイルがよかった」

スケベじじい、と女湯から嗄(しわが)れた女の声がした。

「フーちゃん。ちがうか」

とっさには答えられなかった。

「そうです、けど……」

「あんたがフーちゃんって呼ぶのに、女湯の方じゃ苗字を呼ぶんだ。何てったっけ。ああ、そこまでは覚えちゃいねえ」

「高木です」

「そうそう。フーちゃんと高木さんっての、いってえどういう関係だろうねえって、かかあと噂したもんだ」

「同じ会社でしたから。私の方が少し先輩だったもので、ずっとそんな呼び方をしていたんです」

「なあるほど。それで胸のつっかえがおりた。早くへえってきな。三助もすっかり齢取っちまって、客なぞお構いなしにさっさと掃除おっぱじめるからよ」

やはり夢を見ているのだろうか、と高木は思った。

洗い場では老いた三助が桶を洗い始めていた。訝しげに高木を睨み、唄うように「お早く、お早く」とせきたてる。

湯船には禿頭の老人が、唇まで湯に浸っていた。

「おい、若いの。勝手にうめるんじゃねえ」

やくざ者かと思ったが、そうではないらしい。因業を絵に描いたような老人である。

「熱くないんですか」

「おめえんちの腐れ風呂はどうか知らねえが、湯屋の湯ってのァこういうもんだ。我慢してへえれ」

はい、と高木は素直に答えて、痺れるほどの熱い湯に足を入れた。

「ざぶざぶへえるんじゃねえ。爪先からへえるんだ。熱いって言っとろうがい、湯をまぜるな、コラ」

半身をようやく湯に沈めて、高木は熱さに耐えた。こらえきれずに上がれば、きっとまた文句を言われるだろう。

閉じていた目を不満げに見開き、老人は唸るように言う。

「肩までへえれって。手のかかる野郎だな」

「いえ、これで十分です。熱くって、とても」

「四の五の言わずにへえれ。こっちが落ち着かねえ。八十の年寄りがへえってるのに、おめえがへえれねえはずはねえぞ」

はい、とまた素直に答えて、高木はゆるゆると湯に沈んだ。

「そうだ、それでいい。やりゃあできるじゃねえか。どうも今の若えやつらは意気地がなくっていけねえな。やれ熱いの冷てえの、うめえのまずいの、チョウチンだのヒョットコだのって、やりたくねえことにいちいち文句をつけやがる。そんな了簡じゃおめえ、石にけつまずいたって死んじまうぞ」

いわれもない説教をされて、腹が立たないのはふしぎだった。因業な年寄りの言うことだと聞き流しているわけではなかった。言葉は汚いが、いちいちごもっともなのだ。

「ちょっと通りすがったんですけど、このあたりにまだ銭湯があったなんて、びっくりしました」

「よくやってやがるよなァ、まったく」

「お客さん、来るんですかね」

「いつだってこんなもんさ。内湯のねえ家なんて、今どきありゃしねえからな。だが、マンションのプラスチックの湯桶は毒だぜ。なんたってこういう熱い湯にすっぽりへえってな、たんと足腰を伸ばさにゃ」

「マンションにお住まいですか」

「おうよ。等価交換がどうたらこうたらとかでよ、倅がマンション建てやがった。すぐそこいらさ。もっとも、俺みてえなのばかりじゃねえよ。ほれ、あそこのボーッとしたじじい」

視線を追う。ラクダの股引をはいた長身の老人は、大鏡の前でまだ念入りに体操を続けている。

「いまだに海軍体操でやんの。あのじじいなんざ、地上げにかかって川崎の向こっかしまで落ちてよ、そんでもしょっちゅう、地下鉄に乗ってここまで通ってるんだ」

「わざわざこの銭湯に、ですか」

「おうよ。川崎にだって銭湯ぐれえあろうがって聞いたら、サウナが付いてたり、あぶくが出たりで、へえった気がしねえんだと。その点この椿湯は、ハハッ、ごらんの通りだ」

たしかに今どき、こんな大時代な銭湯は珍しいだろう。何しろ壁には、富士山と三保の松原である。

「おやじが頑固者だからなあ。跡取りはいねえから、死んじまえばそれでしめえなんだがね。癌なんだけど、いつまでたったたって死なねえんだ」

「癌、ですか……」

高木は思わず番台を振り返った。

「なあに、八十すぎの癌なんてのァおめえ、風邪っぴきとてえしたちげえはねえのさ。あの分じゃあと四、五年は大丈夫だな。ま、客が先かおやじが先かってところだ。俺はとてもじゃねえが四、五年は自信ねえよ。血圧が高えから」

「あんまり長湯はしないほうが――」

「婿みてえな口ききやがる」

気合を入れて、老人は熱い湯から立ち上がった。

酒はすっかり抜けてしまった。洗い場の鏡にぼんやりと顔を映していると、年老いた三助が背中を流してくれた。

女湯からも巻舌の声が聴こえてくる。たぶん同じような境遇の老女たちなのだろう。

「すみません。何だか申しわけないな」

無口な三助はていねいに高木の背中を洗うと、熱い湯をかぶせた。

「ここには、地上げは来なかったんですか」

おそるおそる、高木は訊ねた。三助は答えずにしばらく高木の肩を揉み、拍子抜けしたころにぽつりと呟いた。

「風呂屋が風呂を畳んでどうするね」

どうしても思い出せない。

二十何年の間、自分の身の上にいったい何が起こったというのだろう。貧しかった時代の記憶はどこかに消えてしまっていた。

「人間なんてあなた、そんなものですよ。まことに都合よくできている。悪い思い出はどんどん忘れてしまって、楽しいことだけを覚えているものです」

ようやく海軍体操をおえた老人は、そう言って上品な笑顔を高木に向けた。

「かくいう私も戦争では何べんも死に損なっているのですがね、孫なんかに訊かれても、それが思い出せない。どうとも思い出せんのですよ」

坪庭には、山茶花（さざんか）の垣がめぐっていた。

「山茶花なのに、椿湯ですか」

「そう。いつだったか私も同じことをおやじさんに訊いたのですがね。これは山茶花なんぞじゃねえ、姫椿てえんだ、と言い張るのですよ。姫椿も山茶花も同じだと思うのですがね、私は」

厚い垣根に、たわわな紅を灯す花を見るうちに、わけもなく高木の胸は詰まった。

すべてを忘れてしまった。生きるために記憶を淘汰したのではない。金と欲とにまみれた時代の向こう側に、すべての記憶を置き去りにしてきた。

「貧乏はしていましたが、辛くはなかったんです。どうして楽しかったことまで忘れたんだろう」

　さあ、と長身の老人は縁先の椅子から立ち上がり、小さな星空を摑むような背伸びをした。

「楽しいことが多すぎるのではありませんか。今の若い人の悩みはたいがいそんなところです。贅沢ですな」

「でも、時代には時代の悩みがありますよ。命もかかるし」

「まさか命まではかからんでしょう。命がかかるのは、取るか取られるかという戦のときだけです」

　自分なりに命のかかる戦をしてきたつもりだと言いかけて、高木は口をつぐんだ。本物の戦をした老人に向かって言えることではあるまい。

　老いた客たちはひとりずつ、立てつけの悪い引戸を開けて出て行った。女湯からもかしましい声は聴こえなくなった。

　高木が身づくろいをおえるのを見計らうように、板敷の灯りが消えた。

「申しわけないねえ。三助がせっかちなもんで、すぐ電気を消しちまう」

「いえ、遅くまですみませんでした」

　引戸を開けかけて、高木は坪庭を振り返った。絵具を撒き散らしたような紅（くれない）の花が、闇の中に輝いていた。

「山茶花ですよね」

「いや。あれァ姫椿ってんだ。大正時代に先代が植えて、椿湯って名前をつけたぐれえだから間違いはねえ」

「でも、私の家の垣根と同じなんですけど」

「だったらお客さんの家のやつも、姫椿さ。山茶花なんかじゃねえよ」

たぶん、姫椿は山茶花の別名なのだろう。老人はそれが姫椿という異種なのだと、頑なに信じているのだ。

「ええと、何てったっけ」

「高木です」

「そうそう、高木さん。こんどフーちゃんも連れといで。お宅の庭に姫椿が植わっているのも、何かのご縁だ。ありがとうございました、またどうぞ」

きょうのところは家に帰って、椿湯と赤い花のことを妻に訊かねばなるまい。自分は何もかも忘れてしまったが、おそらく妻は記憶しているだろう。

玄関を出ると、路地の向かい側にも衝立(ついたて)を立てたような姫椿の垣があった。青いベンチがひとつ。

満月が唐破風の屋根の影を、きっぱりと足元に切り落としていた。

ひとつだけ思い出した。終(しま)い湯から出ると、フーちゃんはいつも青いベンチに腰を下ろして、恋人を待っていた。

湯ざめをさせてしまったおわびに、一輪の姫椿を濡れた髪の耳元に飾ってやった。

ところで幸運なタクシーは、まだ青山通りに待っているだろうか。高木は靴を鳴らして真白な息を吐きながら、月明りの路地を駆け出した。

再会

1

私が九鬼修一と偶然の再会をしたのは、ホテルの仕事場を脱け出して立ち寄った、銀座のクラブだった。

高校を卒業して以来三十年ちかくもたてば、たがいに様変わりは甚だしい。しかし私たちは離れたボックス席で目を見交わしたとたん、ほとんど同時に腰を浮かせた。

さほど親しくしていたという記憶はない。浪人をして同じ予備校に通っていた一時期、神田の駅前で喫茶店を経営していた彼の家に、何度か行った。

世界一広く、おびただしい人間が煩雑に生活する東京で、旧友とばったり再会することがいかに奇遇であるか、私も九鬼もよく知っていた。

年齢とともにそれぞれの人生は分かたれ、偶然の可能性はさらに低くなる。四十もなかばを過ぎれば、そうした意味での社会の広さはよくわかるから、私たちはそれこそ腰を浮かすほど愕いたのだ。

私の席に歩み寄って、九鬼は訊ねるより先に、しげしげと顔を見つめた。よほどの確信がなければ、そんな態度をとるはずはない。無言で瞠目する九鬼の表情は、青ざめてさえいた。

彼の成功は噂に聞いていた。成り金たちの死に絶えた銀座のクラブで、九鬼修一の姿は勝者の威厳に満ちていた。

席につくや、九鬼はいきなり言った。

「いちど二人きりで話したいんだが、時間をとってくれるか」

それから九鬼は、まるで奇蹟を確かめようとでもするように私の腕を握り、長いこと放そうとはしなかった。

近いうちに彼の家を訪ねる約束をして、私たちはその夜、酔いもせずに別れた。わずかな会話の後、九鬼は用事を思い出したと言って席を立ってしまったのだった。


信濃町の九鬼邸の庭には、山茱萸（さんしゅゆ）の古木が春をさきがけるように黄色い花をつけていた。

テラスごしに豁（ひら）ける空は乳色に濁っているが、とうてい都心とは思えぬほど広い。応接室には牡丹と鳳凰の絵柄をあしらった緞通（だんつう）が敷きつめられ、中国ふうの黒檀の椅子と卓とが置かれていた。

「競売にかかっていた家を買ったんだが、どういう事情か家具までそっくり付いていてね」

調度類を見渡す私の視線が気にかかったのか、九鬼修一は旧交を温める間もなくそう言った。

「呼び立てたりして、悪かったな。何もこんな暮らしぶりを見せびらかそうとしたわけじゃないんだ。便利な場所だし、女房も君に会いたがっているから」

言うそばから扉がノックされて、いかにも「妻君（さいくん）」という感じの九鬼の妻がやってきた。上品で、年なりに美しく、世の不景気を逆手に取って成り上がった事業家のつれあいというふうはない。ベージュの縄編みのセーターが良く似合っていた。

ハイエナのようなものだよ、と九鬼は電話で言っていたが、女房を見たかぎり彼が案外まっとうな成功者であることはわかった。そう思えば九鬼の風貌も油断のならぬ商売人という印象からはほど遠く、高校生のころそのままの怜悧な思慮深さが感じられた。

「景気のいい時代に、じっと辛抱していたのが良かった。もっとも、高金利に耐えるだけの実力がなかっただけなんだけれど、ちょうど父親が死んで、財産は増やすより守らなければならんと思っていたからな。うまい具合に、女房もこういうやつで――」

つまり、控え目でしっかり者の「妻君」という意味なのだろう。目が合うと、四十を少し出たほどの美しい妻は、少女のようにはにかんで紅茶を注いだ。

九鬼の生家は都心のオフィス街で小さな喫茶店を経営していた。あの地価高騰の時代に生家を高値で売り、テナントビルやマンションを十数棟も所有する資産家にのし上がったのだという噂は、どうやら的を外れているようである。

好景気の時代のうまい話には耳を貸さず、やがて地価も金利も下がったころに、有利な条件で不動産をひとつひとつ取得して行った。いかにもおとなしい優等生だった九鬼にふさわしい筋書きだった。

「神田の店は？」

「ああ——おふくろと出戻りの姉貴とで、まだやっている。昔のまんまだ」

「へえ。また、どうして？」

資産家の母と姉が、いまだに二十坪ばかりの喫茶店を営んでいる。私の素朴な疑問に、九鬼はむしろふしぎそうな顔を向けた。

「どうしてって——家族が生活して行くには、ころあいの商売だからさ。この店さえあれば末代まで食いっぱぐれはないから、決して手放すなというおやじの遺言だった」

私はふと、学生時代に何度か会ったことのある、九鬼の父親の顔を思い出した。言葉をかわしたという記憶はない。ほの暗い喫茶店の、古ぼけたカウンターの向こうで、九鬼の父親はいつも生真面目な顔でコーヒーを淹れていた。

テラスから射し入る午後の弱日を受けた九鬼の顔は、無口で謹厳な父親に良く似ていた。

「似てますでしょう、おとうさんに」

と、ソファから腰を上げて妻が言った。

「ああ、そっくりです。久しぶりにこうして会っても、さほど様変わりしたように思えないのは、考えてみればおとうさんと彼とを混同しているのかもしれません」

「性格までうりふたつなんですよ」

「冷静沈着、ですか」

「良く言えば。反対に悪く言いますとね、感情がないんです。泣かない、笑わない、怒らない。何を考えているのかわからないの」

まるで妻の評価を証明するように、九鬼は面白くもおかしくもない顔で、「もう、さがりなさい」と言った。

それから九鬼は、学者のような口調で景気の先行きの話を始めた。ゆったりと間を置いて、言葉のひとつひとつを正確に選別するような口ぶりも昔のままだった。

話題はそれなりに興味深かったが、そんな話が三十分も続くうちに、私は何となく不条理を感じ始めた。四半世紀ぶりの出会いならば、思い出話や旧友たちの消息について語り合うのが当然であろうに、そんなことはおくびにも出す様子がなかった。

話しながら、九鬼は時おり腕時計を見た。

「予定があるのなら失礼するよ」

「いや、そうじゃない。良かったら食事をしていってくれ。折入って君に話があるんだ」

その「折入った話」をするために九鬼は私を自邸に招き、糸口の見つからぬまま、どうでも良い世間話をしていたのだろうか。

柱時計が午後四時を打つと同時に、妻がドアをノックした。

「お買物に出てきますけど――」

九鬼が肯くと、妻はドアのすきまから私に会釈をして廊下を去って行った。エンジン音が遠ざかるまで、九鬼は庭先に物うげな目を向けて黙りこくっていた。

「時間には妙に正確なやつで、毎日四時ちょうどに買物に出るんだ。起きる時間も寝る時間も、食事も風呂も、まるで兵隊みたいにぴったりでね。もしかしたら息が止まる時間までわかっているんじゃないかと思うほどだよ」

「そういうふうに君が躾けたんじゃないのか」

「僕よりも、おやじだね」

九鬼は午後四時に妻が買物に出るまで、「折入った話」をするのを待っていたのだ、と私は思った。

「どうぞ――」

と、私がテーブルの上に掌を差し延べると、九鬼は意思が通じたように、ソファから身を乗り出した。

「僕は嘘をつかない。ただし、勘ちがいかもしれない。その可能性があるかぎり、この話を僕の周辺の人間に聞かせるわけにはいかないんだ」

「奥さんにも？」

「もちろん。女房は当事者の一人だからな」

「僕を選んだ理由は？」

九鬼はいちど端整な顔を俯け、少し考えるふうをしてから、女のように厚い睫毛をもたげた。

「第一に、君と僕は長いこと疎遠だったから。僕のプライバシーをほとんど知らない君は、この話を客観的に聞くことができる。第二に――」

と、九鬼は薄い唇の端を吊り上げて、意地悪そうに笑った。それは四半世紀ぶりの再会を果たしてから、彼が初めて見せた人間らしい表情だった。

「第二の理由は――それは後にしておこう」

2

君と僕との内緒話に、仮名を使う必要はあるまい。

戸倉百合江という名前だった。

百人の男とすれちがって、百人の男が振り返るような美人、いや百人の男がみなとっさに抱きたくなるような女さ。

僕と百合江がどんなふうに知り合って、どのように恋に陥ちたか、そんなことはどうでもいい。ともかく百合江は、僕がまだ証券会社に勤めていたころ、本社の受付嬢をしていたんだ。僕が三十、百合江は二十六だった。

古くさい言い方をすれば、若い社員たちのマドンナとでもいうのかな。そんな女が、出世コースとはほど遠い、いずれ会社を辞めて喫茶店のマスターにおさまるつもりの妻帯者とああいう関係になったのは、運命とでもいうのか、ほんの行きがかりのことだった。

僕は今の女房と結婚して三年目で、まだよそに目が行くというころではなかった。むろん、女房のことは十分に愛していたと思う。

ぶらりと立ち寄った新宿の見知らぬ酒場に、百合江がいたんだ。もとより言葉をかわしたこともなかったのだけれど、カウンターの端と端にたまたま居合わせて知らん顔をするわけにはいかない。僕には決して他意はなかったのだがね。

妙に話がはずんで、したたか酔った百合江をアパートまで送って行った。あとはまあ――行きがかりだと言いきるのは、少し無責任かもしれないがね。

ともかく、僕と百合江のなれそめはどうでもいいんだ。僕らはその夜からかつて経験したことのない恋に陥ちた。

誰にも知られずに、僕らの関係は三年も続いた。べつに難しいことではなかった。僕は営業職だったから帰宅時間は不規則だったし、週末も接待ゴルフだといえば、百合江の部屋でゆっくりと過ごすことができたからね。

別れた理由をうまく説明することはできない。愛し合いながら別れねばならない事情というのは、口で言えるほど簡単ではないよ。

まず父が肝臓を患って入院した。家業は母と女房とでも何とかやっては行けるのだが、ちょうど地価の騰貴が始まって、神田の家の周辺に地上げ屋が横行するようになったんだ。近所の商店は櫛の歯が欠けるように地所を売り払って消えて行くし、残った住民にはいっそう圧力がかかる。まったく今では信じられない話だが、わずか二十坪の土地に十億というとんでもない値段がついた。

地上げ屋の交渉も、それにつれて次第にエスカレートしてきた。はじめは紳士的であったものが、脅迫めいてきたし、しまいには何人もの人相の悪い連中が朝から晩までコーヒー一杯で居座って、商売を妨害するようになった。そうそう、近所では放火騒ぎまであったんだ。

おやじはあの通りの頑固者で、そのうえ商店会の会長をしていたから、意地になっていた。もちろん空意地ではないがね。どんな大金が手に入ろうと、金は使えばなくなる。しかし駅前のあの店があるかぎりは、末代まで食いっぱぐれはない、と――たしかにもっともだよ。神田駅前の二十坪の土地なんて、本来は金で売買できるものではないんだ。末代まで食いつなげる資産などというものは、実はあるようでない。

つまり、店がそういう修羅場になってしまったから、会社を辞めて家を守れという父の厳命があったわけだ。ひどい肝硬変で先は知れていたしな。

土地は手放さなくとも、それだけの資産価値があるのだからさまざまの事業の展望はある。僕だってビジネスマンのはしくれとして、そのくらいのことは考えたさ。父もその点は同意してくれた。おまえの裁量で他の商売を考えるのは自由だが、ともかく土地は売るな、というわけだ。

こうした僕の身辺の事情が、百合江と別れる正当な理由であったかどうかはわからない。

むしろ決定的な理由は、妻の存在だったろうと思う。妻は家業を手伝うかたわら、父母の面倒を良く見てくれた。店の二階の、劣悪な住宅事情の中で、子供らも健(すこ)やかに育っていた。

たしかに女性としてどちらを取るかと考えれば、すべてを捨てて百合江を選ぶのが、男としての素直な気持だった。だが、現実とはそういうものではあるまい。惚れたはれたで人生を選ぶことができるのなら、男には何の苦労もないよ。

別れ話を切り出したとき、百合江は僕のことをエゴイストだと罵(ののし)った。当然だ。二十六歳から二十九歳までの、女として最も美しい、夢多い時間を、計算高い男のせいで棒に振ってしまったのだから。

百合江はやさしい女で、後にも先にも怒りをあらわにしたのはその一度きりだった。しかもそのときですら、さんざ泣いた後で、一生このまま付き合っていてほしいと言った。会えるのは週に一度、いや月に一度でもかまわないと言ってくれた。

もちろん僕らの間に経済的なつながりはなかった。だから百合江のその申し出は、真心だった。

今さらのろけても始まらんが、いい女だった。

三年の間、一途に僕を愛してくれた。僕を困らせるようなことは何ひとつしなかったし、口にすら出さなかった。だから丸三年も、僕らの関係は家庭にも職場にも、いっさい知られることはなかった。百合江は僕との秘密を守り通してくれた。僕を傷つけまいとする一心で、結局は自分ひとりが傷を蒙ったことになるのだがね。

僕が会社を辞めたあくる日、二人で箱根に一泊旅行をした。三年も付き合って、泊りがけの旅をしたのはその一度だけだというのだから、かえすがえすもひどいことをしたものだと思う。僕は許されざる恋を貪り、百合江を貪り、すべてを貪りつくすことのほかに気持の余裕は何ひとつなかった。

旅行どころか、プレゼントのひとつもした記憶がない。

これきり別れることなど忘れて、二日間を楽しく過ごした。まるで僕らの三年間が、その最後の二日間のためにあったかのように。紅葉が終わって、厳しい冬を迎えようとする季節だった。

百合江とは小田原駅のホームで別れた。

新宿に出るほうが便利だから、小田急のロマンスカーで帰ると百合江は言ったのだった。

本音は——わかるだろう。僕の家は東京駅とは目と鼻の先だからな。何事もなかったようにそこから家に帰る僕を、見送りたくはなかったのさ。

それでも、ロマンスカーの窓ごしに、笑って手を振っていてくれた。僕は笑えなかった。最後まで僕を守り通してくれた百合江の勇気に対して、男らしく笑い返さねばならないとは思ったが、そんなことはできるはずがなかった。

だって、考えてもみてくれよ。彼女が守り通したものは僕という存在のすべて、不実をも、裏切りをも含む、僕のすべてだったのだから。

百合江を愛していた。別れたあとで、僕はまるで薬の切れた病人のように苦悶した。その苦痛を妻や母や子供らに察知されることを怖れて、一日じゅうわけもなくはしゃぎ回っていた。そして店を閉めたあと、浴びるように酒を飲んだ。

幼なじみの住人たちがあらかた立ち去ってしまったオフィス街に、ぽつんと離れ小島のように取り残された小さな喫茶店。古ぼけた赤銅のランプシェードの下で、僕は夜ごと、自分の喪ったものについて考えあぐねた。

守ったものと喪ったものとを、秤（はかり）にかけることはできなかった。僕のその先の人生は、時価十億というその土地を基点にして、いかようにも展開する可能性はあったのだが、とりあえずは地上げ屋たちの魔手から守るほかに、することはなかった。しかし、百合江の存在は僕にとってかけがえのない、確固たるものだった。良識という大義のもとに、僕は良心を捨てたのだと思った。

たまらなく百合江に会いたかった。男心は都合のいいものだ。そろそろ汐時（しおどき）だと考えて勝手に引導を渡しておきながら、いざ別れてみると、辛くて仕方がなくなった。いっそ店を叩き売ってすべての矛盾を金で解決し、百合江との新たな生活を始めようと考えたこともある。だが、僕の懊悩など何ひとつ知らぬ家族の顔を見るたびに、僕はそんなことを考える自分を、むしろ怖れた。

恥ずかしい話だが、一度だけ百合江のアパートを訪ねたことがある。

小田原のホームで別れてから、ひと月ほど後だったろうか、夜遅くに矢も楯もたまらなくなって車を飛ばした。

表札が知らぬ名に変わっていた。廊下に置いてある洗濯機も、ちがう形だった。

あくる日、会社に電話をしてみると、百合江はすでに退社したということで、連絡先も知れなかった。

こうして、僕が狂おしく愛した女は、忽然と姿をくらました。

ただの一日も、百合江のことを考えなかった日はない。毎夜、夢にも見た。

良くある話じゃないかって？――まあ、ここまではそうだな。小説のネタにもなるまい。

だがね……

3

九鬼邸の庭は黄色い山茱萸が一点の色だと思っていたのに、実は薄紅の花をつけた山茶花(さざんか)の垣がめぐっていた。重くつややかな葉叢(はむら)の中に、ぽってりとした椿の花も咲いていた。

乳色の空に椿や山茶花は当たり前すぎて、鮮やかな赤さえも私の目には入らなかったのだろう。四季のうつろいは年齢とともに心に留まるものだけれども、それとはうらはらに心が慣れて視界から喪われてしまうものもあるのかもしれない。

「僕は十五年の間ずっと、百合江のことを考え続けていた。今ごろどこで誰と、どんなふうに暮らしているのか。幸せなのか、不幸なのか、とね」

「それも良くあることだよ」

と、私はすげなく答えた。たしかに男なら誰にもあるそんなことを、あえて告白する九鬼にあやうさを感じたからだった。

「女の恋は流れ去るけれど、男の恋は積み重なるものさ。水と、雪のちがいだね」

「なるほど、うまいことを言う」

と、九鬼は鼻梁の秀でた顔を上げて、わずかに微笑んだ。

「君も、そうか」

「もちろん」

「電車の中で良く似た横顔を見つけてはっとする、とか――」

「良く似たうしろ姿をつい追いかけてしまうとかね。まあ、あまり考えこまないほうがいいと思うよ。人間、内向するときりがない」

四十もなかばを過ぎれば、甘い恋心などは筋肉と同様に喪われてしまう。にもかかわらず男が記憶の底のそれを探ろうとするのは、おのれの脱け殻を探しあぐねているようなものだと、私は説明を加えた。

「おのれの脱け殻ねえ……」

「そうさ。仮に、どこかの街角で君がその百合江というかつての恋人に出会ったとする。だが、わかるはずはないよ。向こうもたぶん、わからない。三十からの十五年間の時間は、それほど甘くはないからな。ということは、そうとは知らずにどこかですれちがっているかもしれないけれど」

九鬼はふいに身を乗り出し、「いや」と言った。それから私の目を凝視して、薄い唇をおもむろに動かした。

「百合江に会ったんだ。ひと目でそうとわかった。まちがいなく、百合江だった」

私は返す言葉を喪った。

「――どこで？」

「小田原で出会った。何だか運命的な感じがするがね。話はできすぎているが、嘘じゃない。錯覚でもないよ。ついこの間、去年の十二月初めのことだ。仕事で静岡まで行った帰り、新幹線に乗り合わせた」

九鬼は私の口を封ずるように早口でまくしたてた。これが嘘でも妄想でもないのなら、病気にちがいないと私が思うほど、九鬼の表情は真剣だった。

「グリーン車の窓ごしのホームに彼女の姿を見たとたん、まちがいないと思った。考える間もないくらい確信したんだ。百合江は車両に乗りこむと、僕の脇をすり抜けて、通路を隔てた斜め向かいに座った。ヴィトンのボストンバッグを棚に上げるとき、もういちど横顔をはっきりと見ることができた。むろん、僕が十五年間夢に見続けた顔ではなかったよ。だがまちがいなく、十五年後の百合江の姿だった」

「声はかけたのか」

とたんに、九鬼は表情を翳らせて細い顎を振った。

「どうして？」

「連れがいたからな」

その一言で、話はにわかに真実味を増した。連れの男がいるというのは、妄想にしてはいかにも不都合である。

「立派な体格の声の大きい男で、二人の仲むつまじげなやりとりが良く聴こえた。たぶん夫婦で箱根に行った帰りだと思う。子供の教育について、真剣に話し合っていた」

「良かったじゃないか。幸せになっていたというわけだ」

私が結論を口にすると、九鬼は悲しい笑い方をした。

「僕にとって、おそらくそれ以上は望めぬ結果だった。心から百合江の幸福を希っていたんだからな。亭主は僕と同じ齢ぐらいだと思う。大柄な体にきちんとスーツを着て、女房との温泉旅行にああいう身なりをして行くのは、彼がそれなりの地位にある証拠だ。しかも、ずっと子供の高校受験について話していた。すばらしい夫であり、良き父親でもあることは疑いようがなかった。少くとも、無理を通して僕と一緒になるよりは、百合江にとって幸福な人生だったはずだ」

冷えた紅茶を啜って、九鬼は溜息をつきながら私を見た。

「どう思う？」

「どうって、けっこうな話じゃないか。複雑な気持だったろうが、君にとってはたしかにそれ以上を望めぬ結果だろう。きっと神様が君の誠意をくんで、幸福な彼女の暮らしを見せてくれたのさ」

四十もなかばになれば、女房にヴィトンのボストンバッグを持たせるのはそう難しいことではあるまい。しかし働きざかりの日々の合い間に、二人きりで温泉旅行に出るのは、口で言うほど簡単ではない。ましてや帰路の電車の中で、子供の教育について語り合うとは、よくできた夫というよりは人格者である。そんな一目瞭然たる幸福を九鬼が目のあたりにすることができたのは、偶然を通り越してまさしく神の仕業にちがいなかった。

「向こうは気付かなかったのか」

「気付かせてはならないと思った。だから東京駅に着いたときも、一緒に立ち上がらずにしばらくマフラーで顔を隠して、寝たふりをしていたんだ」

時節がら、各駅停車の新幹線グリーン車といえば乗客もまばらだっただろう。もしかしたら車両には彼らしか乗っていなかったかもしれない。

そうした神の配慮に応えるためには、けっしてかつての恋人に自分の存在を気付かせてはならない。寝たふりをしてやりすごすのは、むしろ九鬼らしい思慮深さだと私は思った。

「マフラーの闇の中で、百合江の懐かしい声が遠のいていった。あなた、お迎えが来ているわ――夫はその足で出社するのだろうか、マフラーのすきまから覗くと、部下らしい男がホームで頭を下げていた。僕の脇を通りすぎようとして、夫は狸寝入りをする僕に声をかけてくれたんだ。もしもし、東京駅ですよ、とね。感動したな。何の偉ぶるところもない、誠実な声だった。それまで多少は胸の中にくすぶっていた嫉妬心など、どこかに吹き飛んでしまったよ。この人が百合江を幸福にしてくれたのだと思った。いや、僕が不幸にしてしまった百合江を、失意の底から救い出し、僕が愛した以上に愛してくれたのだと思った。正直のところ、その大きな体を抱きしめたい気分だった。かわりに、まっすぐ男を見て心の底から、ありがとうございますと言ったよ。一瞬だが、真正面から男と向き合った。浅黒い肌の、笑顔のまばゆい、まさに好漢だった。無造作に襟を立てたトレンチ・コートが、あんなに似合うやつはいない」

　話しながら、九鬼は十五年間の苦悩からようやく解き放たれたように、いくども深い息をついた。彼をさいなんでいたものは、たぶん悔悟ではない。喪った恋人をずっと愛し続けていたのだと私は思った。

「それからひそかに二人の後をつけたのは、暗い興味からではない。幸福な百合江を見送りたいと思ったんだ。お忙しいのに申しわけありませんね、と百合江は出迎えの秘書らしい男に言った。いかにも社長夫人らしい、上品で優雅な物言いだったな。ベージュのカシミヤのコートは上等で、栗色に染めた髪も、その下から覗くイヤリングも、とても良く似合っていた。年齢は四十四になったはずだ。けっして若くは見えないが、控え目な中にも誇り高い、やはり百人の男を振り返らせる美しさだった。秘書に荷物を托すと、夫はやさしく百合江の肩を抱いた。――疲れたろう、ユリエ。僕は会社に寄って一仕事して行くから、先に帰ってゆっくり休みなさい。楽しかったよ。――八重洲口の車寄せにはベンツが待っていた。奥様、お帰りなさいませ、と運転手がにこやかにドアを開けた。秘書も運転手も、誰かに命じられて迎えにきたという様子がなかった。いかにも夫である社長の気配りのうちのように思えた。精一杯の愛情をこめて、あの男は妻をもてなしていた。柱の蔭で見守りながら、思わず頭が下がったよ。古女房にあれだけの愛情を表現できる男なんて、いるものじゃない。そういう器の人間なのだとしみじみ思った。僕が見た百合江は、世界で一番幸せな女だった」

そこまで話しおえると、九鬼はしばらくの間、冬枯れた芝生の上に黄色い山茱萸と赤い山茶花が灯りのようにともる庭に、じっと目を向けた。

光のないままに、庭は昏れかけていた。

「よかったな。僕からも祝福したい気分だ」

「ここまではな」

「え？――」

と、私は九鬼の横顔を窺った。

誰にも分かつことのできぬ美しい秘密を、九鬼は久しぶりに再会した旧友に語ったのではなかったのか。いや、その歓喜を誰かに伝えたくて、私を自邸に招いたのではなかったのか。

「実はその何日か後に、ひどいものを見た。神様がいたずらなのか、それとも神のほかに悪魔がいるのか――」

私から目をそむけたまま、九鬼は信じ難いもうひとつの話を、問わずがたりに語り始めた。

4

妻と京都に旅したのは、百合江の幸福を見たその週末のことだった。

記録的な暖冬で、十二月に入ってもまだ紅葉が見頃だと聞いた。妻を誘ったのは、あの男の真似事がしたかったからだ。過去の女をずっと愛し続けていた僕の不実をすすぐには、そんな方法しか思いつかなかった。だから突然思い立ったふりを装って、妻を誘った。

満たされた旅だった。十五年間、ずっと心にかけていた苦悩が拭われ、これまで背を向けていた妻を愛さねばならないと思った。

君にもわかると思うが、夫婦の愛情というものは案外、意志で回復できるものなのだ。僕の心のありかなど知らずに僕を愛し、子供らを育て、親に仕えてきてくれた妻に、僕はできうるかぎりの愛情で応えねばならないと誓った。

帰りの列車が、やはり小田原を通過したあたりだったと思う。

グリーン車のトイレがふさがっていたので、次の車両まで行った。その途中で、とんでもない光景を見てしまったんだよ。

二人掛けの座席が向き合わせになっていて、四人の男女が仏頂面で座っていた。どんよりと重い、剣呑な空気が漂っていた。

進行方向の通路側の席に座っていたのは、旧知の刑事だった。以前、ビル荒らしの災難に遭ったときに捜査を担当した、所轄署のベテランだ。

僕が挨拶をすると、刑事はちょっと気まずそうな顔をした。

「その節はいろいろとお世話になりました。きょうは、ご旅行ですか？」

「いや」と、刑事は挨拶を返すかわりに、ちらりと斜向かいに目を向けた。

「仕事でね」

「お仕事、ですか」

「所轄で被害届の出ていたホシが、大阪で捕まりましてね。身柄を引き取りに行ったんです」

「ああ、それはご苦労さまです」

　刑事の隣りで迷惑げに僕を見上げたのは、付き添いの婦人警官らしい。その向かいの席に、薄汚れたコートで顔のなかばを被った犯罪者がいた。半身を窓辺にもたせかけて、左手が不自然な形で隣りの席の若い刑事に引き寄せられていた。繋がれた手首はマフラーでくるまれていたが、すきまに手錠が光っていた。

　いやなものを見てしまったと思った。

「私はこの春に配置替えになって、盗犯のことはよくわからんのですが、その後お変わりないですか」

「お蔭さまで。いちど被害に遭うと気をつけますからね」

「お手持ちのビルやマンションが多いから、気をつけるといっても大変でしょうな、九鬼さんは」

　刑事がさりげなく僕の名前を口にしたとたんだった。窓によりかかって眠っていると見えた犯罪者が、やおら顔を被っていたコートをかなぐり捨てるようにして身を起こした。

その瞬間の僕の愕きを、わかってくれるか。

目の前に起こった事実について、筋道たてて考える余裕はなかった。ただ頭の中がまっしろになって、体がすうっと冷えて行くのがわかった。

そう。百合江だったのだよ。

何日か前にめぐり遭った百合江とはちがう、もうひとりの百合江が、そこにいたんだ。たぶん僕は、アッと声を上げて立ちすくみ、しばらく凍りついていたと思う。そのとき自分が何を考え、どんな態度をとったかも思い出せない。

当たり前だよな。何年かの間を置いているのならば、まだしも説明のつけようはあるが、なにしろわずか数日後の出来事だ。もちろんとっさには、どちらかが僕の見まちがえなのだろうと思った。しかし、数日前に僕が目撃した幸福な百合江に疑いようはなかった。小田原から一時間もの間、ずっとその声を聴き続け、東京駅では後をつけてまで姿形を確認した。髪を耳の上にかき上げる癖も昔のままだったし、やや前のめりの不器用な歩き方も変わってはいなかった。第一、あの夫は何度も「ユリエ」と妻の名を呼んでいた。

だとすると——

僕は気を取り直して、護送中の指名手配犯の顔を見つめた。

それは、罠（わな）にかかったけだものの顔だった。化粧のはげ落ちた肌はかさかさに乾いており、目尻と眉根には労苦を偲ばせる深い皺が、うがたれたように刻まれていた。長い髪は真赤に染められていたが、根のあたりは伸びた分だけの黒さで、しかも遠目にわかるほどの白毛が混じっていた。

おのれの腹を満たすためにはどんなことでもする、怖ろしい餓鬼の顔だった。善意の存在などはいささかも信じず、理性のかけらもない、打算と利欲にこり固まった、犯罪者の標本のような顔だった。

ちがう、百合江ではない、と僕は自分自身に言いきかせた。そう断定するのが希望的観測であるとわかってはいたが、つまり内心ではそのくらい確信を持ってはいたのだが、僕はその世界一不幸な女が百合江だとは、どうしても信じたくはなかった。

だが次の瞬間、女はひび割れた唇を醜くひしゃげて、こう呟いたのだ。

「修ちゃん……」

とたんに、女の顔は泣くとも笑うとも怒るともつかぬくらい、ぼろぼろに壊れてしまった。

百合江は僕の名を呼んだのだ。かつて恋人であったころ、三年間も呼び慣れた僕の名を、昔のままにそう呼んだ。

わかるか。

いや、理解しろというほうが、どだい無理な話だ。

百合江は二人いた。数日の間を置いて、二人の百合江が十五年ぶりに次々と僕の前に姿を現した。

呆然と立ちすくむ僕に向かって、刑事は訊ねた。

「お知り合い？——まさかね」

否定も肯定もせずに、僕はその場から逃げ出した。怖ろしかった。足は膠を踏むように重く、通路の先のドアが歩みより速く遠のいていくような気がした。

ようやく自分の席に戻ると、僕は妻の膝から毛布を奪い取って顔を被った。冷えきった体が瘧のように震えた。

どうかなさったの、と妻は訊ねた。何でもない、そっとしておいてくれと答えたが、言葉にはなっていなかったかもしれない。寒くて仕方がないのに、全身から汗が噴き出た。

顔色を覗きこんだとたん、びっくりして車掌を呼びに行こうとする妻の腕を、僕は力いっぱい引き寄せた。独りになることは何よりも怖ろしかった。僕の日常と現実とを証明できる存在は、妻しかいなかったからだ。もし妻が席を離れてしまえば、たちまち異次元の世界にからめ取られてしまいそうな気がした。

「大丈夫だよ、ちょっとめまいがしただけだから」

妻の腕にすがりついていると、少しずつ気持が落ち着いてきた。

いったい何が起こったというのだろう。二人の百合江——世界一幸福な百合江と、世界一不幸な百合江が、数日の間を置いて僕の前に出現した合理的な理由について、僕は少しずつ考え始めた。

たとえばこんな仮説はどうだ。

百合江は結婚詐欺師で、あの男をたぶらかそうとして失敗し、逃亡先で逮捕された——しかし、小田原から東京駅までえんえんと続けられた子供の教育についての議論は説明がつかない。あれはまちがいなく、長年つれ添った夫婦の会話だった。

双生児？——いや、幸福な百合江は夫から名前を呼ばれていた。そして不幸な百合江ははっきりと、僕の名を呼んだ。つまり、二人とも百合江にちがいないのだ。第一、付き合っていた三年余りの間に、百合江の口からそんな姉妹の話は聞いていない。

結婚詐欺でもなく双生児でもなく、僕が夢を見たのでもなく狂ってもいないのだとすると、結論はただひとつ。

小田原の駅で僕と別れたあの日から、百合江の体は二つに分離して、それぞれが別の人生を歩み出したのだ。そして十五年後、二人の百合江が同時に、僕の前に姿を現わした——。

ほかに、考えようがあるか？

5

「もうひとつの考えかたがあると思うがね」

私は笑顔を繕って九鬼を宥めながら、彼自身の結論よりはずっとましな見解を述べた。

「君は別れた恋人を、十五年間かたときも忘れたことがなかった。愛し続け、想い続けてきた。真剣に思いつめるあまり、妄想を見たんだよ」

九鬼は冷静に、私の言葉を考えるふうをした。このうえなく知的で聡明な表情が、かえって私を不安にさせた。

「そうとは思えない。僕は自分が正常であるという自信は持っているよ。仮想と現実を混同させることなど、ありえないさ」

「恋人の幸福を希っていただろう」

「もちろん。だが、具体的な想像などしたことはない。そんな才能はないよ」

「不幸な姿を想像したことはあるだろう」

「心配をした、という程度はな。悪い男に欺されていやしないかとか、病気にかかってはいないだろうかと——だが、まさか指名手配犯になって、新幹線の中を護送されているなんて、考えるはずはない。ともかく僕は、二人の百合江をこの目で見た。まったく正反対の人生を歩んだ二人の百合江が、今もどこかで生きているんだ。こうしてやむにやまれぬ告白をしている間にも、幸福な百合江はどこかのお邸で暮らしている。そしてもうひとりの百合江は、留置場の片隅にぼんやりと蹲っているんだ」

私は九鬼の話の真偽よりもさきに、彼がこの重大な告白を、なぜ四半世紀ぶりに対面した旧友にせねばならないのだろうという疑念を抱いた。

ことと次第によっては、この場で席を蹴って帰らねばならない。あるいは、こっそり一部始終を彼の妻に打ちあけて、病院に行かせる算段をしなければなるまい。

「それにしても、暖かな冬だったな。山茱萸も早く咲いて、庭に花が絶えなかった」

と、九鬼はくわえ煙草の煙に目を細めながらテラスを見た。

この告白をするために私を呼び出したのは明らかだった。すべてを語ってしまったことで、九鬼の表情は別人のように和んでいた。

「ところで――」

と、私は慎重に言葉を選びながら訊ねた。

「どうして僕になど話す気になったんだね。まさかこの話を聞かせるために、わざわざ呼んだわけじゃあるまい」

意外な答えが返ってきた。

「いや、君に話さねばならない理由がある。君だけには話しておかなければね」

腹立たしい気分になった。彼が正気であるにせよ、精神に異常をきたしているにせよ、選ばれたことは心外だ。

煙草を一服つけて、私は訊ねた。

「聞かせてもらおうか。その理由とやらを」

「君を怖がらせることになると思うが」

「かまわんよ。あいにく君のような繊細さは持ち合わせていない。それに、君よりは多少なりとも肚は据わっている」

　私の顔色に気付いて、九鬼は組んでいた足を解き、いちど背筋を伸ばした。

「気分を害したのなら、詫びておく。どうしても君にだけは話さねばならないと思ったんだ。話の手順として、百合江のことから入らねばならなかったのだが……」

「勿体をつけないでくれ。こっちもそれほど暇じゃない」

「実は、君に会った」

　ひやりとした。一言で、九鬼が言わんとする話のあらかたがわかってしまった。

「僕は会っていない。悪い冗談はやめてくれ」

「だから、手順を踏んで話しているんだ。たしかにここにいる君とは、予備校を出てから先日までただの一度も会っていない。だが、僕はもうひとりの君と出会った。去年の暮、中山競馬場で――」

「ちょっと待ってくれ」

　と、私は九鬼の声を遮った。競馬場にはしばしば足を運ぶが、去年の暮は多忙で最終日のグランプリ当日にしか中山には行っていなかった。

「何日だか覚えているか」

「ああ。十二月十四日。京都から帰って一週間後の日曜だ」

「残念だが、その日は香港にいた。競馬場に行くには行ったが、九龍のシャティン競馬場だよ」

「そんなことは関係ないさ。君が香港にいたころ、もうひとりの君は中山にいたんだ。その日は僕の持馬のデビュー戦で、朝から競馬場に行った。一週間前の出来事のショックからも、少しずつ立ち直りかけていたころだった。合理的な説明はつけづらいが、ともかく何かのまちがいだ、疲れているのだ、と自分自身に言いきかせて――」

「疲れていようが狂っていようが、僕の知ったこっちゃない。君の世界に首をつっこむ義理はないね」

　立ち上がろうとする私の肩を、九鬼はテーブル越しに押さえつけた。

「聞いてくれよ。こんな話、ほかの誰に話せるんだ」

　九鬼の表情は切実だった。心の中でかろうじて均衡を保っていた憤りと恐怖心とが、たちまち片方にくつがえった。

「こわいね」

「そう、幽霊譚のほうがよっぽどましだ。僕らはずっと疎遠だったが、君が僕の噂を耳にする以上に、僕は君の成功を知っていたのだからな」

　九鬼は話しながら、改めて僕の正体を確認するように、背広やネクタイをしげしげと見つめた。

「つまり、こういう僕じゃなかった、というわけか」

「こういう君と出会っていたのなら、何の問題もないさ。去年の春に、人の勧めで初めて三歳の馬を買ったとき、もしかしたら君と会う機会があるかもしれないと思った。弱いところのある馬で、デビューが暮の中山まで遅れた」

「競馬は長いのか？」

「いや。実は馬券を買ったこともない。競馬場に足を向けたのも、その日が初めてだった。スタンドの大きさというものを知らなかったから、競馬場に行けばたぶん君に会えるだろうなどと思っていた」

「あいにくだったな。暮の中山で知人を探すのは大変だ」

「むしょうに会いたかったんだ。もちろん君が香港に行っているなどとは知らなかったし、こっちは君の顔をテレビや写真で見てわかっていたから、見つけ出して愕かしてやろうと思っていた。馬主のバッジも、ちょっと自慢だったしな。で、下見所の馬主席から、双眼鏡で人ごみを観察した。どこかに君がいやしないかと」

　私は中山競馬場のパドックで、双眼鏡の丸い輪を覗いているような気分になった。楕円形の雛壇にぎっしりと並んだ群衆の中に、九鬼は何を見たのだろう。

「オッズ板の正面の、先頭の柵によりかかって、君は周回する馬を見ていた」

「残念ながらちょうどそのころ、僕はシャティンのパドックで馬を見ていたよ」

　私の抗弁にはかまわず、九鬼は先を続けた。

「ひと目で君だとわかった。ジーンズに革ジャンパーを着て、ハンチングをあみだに冠（かぶ）っていた」

「ジーンズに革ジャン？――やめてくれ、僕はそんな身なりをしたことがない。変だとは思わなかったのか」

「人目を避けて、わざとそんな格好をしているのだと思ったんだ。それで嬉しくなって、人ごみをかき分けながら君のところまで行った」

「会ったのか」

九鬼はいやな場面を思い起こすように、重く肯いた。

「肩を叩いたとき、振り返った君の顔は忘れられない。ひどく貧相な、競馬狂いの顔だった。しばらく僕をしげしげと見つめ、それからようやく思いついたように、嗄（しゃが）れた声で言ったんだ」

「何て？」

九鬼はそのとき聴いたもうひとりの僕の声音を、たぶん正確に真似た。

「よお。おめえ、九鬼じゃねえのかよ。そうだろ、やっぱりそうだよな。へっ、たいそうなもんだぜ、何だってうまく行って、今じゃ中央競馬会の馬主さんか。こちとら毎日身ぐるみはがれて、借金で首も回らねえってのによ。女房にゃ逃げられるわ、親にゃ愛想つかされるわ、この年が越えられるかどうか、今日の一日にかかってるんだぜ。ふん、偉そうにめかしこみやがって、友達ヅラするんだったら銭回せ——そう言って君は、いや、もうひとりの君は僕の足元に唾を吐いた」

それ以上のことを、九鬼はもう話そうとはしなかった。

私たちは急激に陽の翳った応接室のソファに向き合ったまま、しばらく黙りこくった。

やがてガレージのシャッターが開く音がして、私は混濁した思考をようやく断ち切った。

「奥さん、帰ってきたようだね」

「食事をしていってくれないか。世の中の仕組について、もう少し君と話したいんだけど」

「話し合って何がわかるんだ。おたがい悩むだけじゃないか」

「じゃあ、参考までに僕の結論を聞いてほしい」

「参考までにな」

「人生は偶然の集積なんだ。その偶然の結果、僕や君は最も理想の人生を歩んでいる。しかし、偶然の結果さまざまの人生を歩んだ大勢の僕や君が、この世には実在しているのだと思う」

「大勢の？」

「そう。たぶん、無数の。人生が変われば人間は形相も変わってしまうだろうから、すれちがっても気付かぬだけだ」

私は話す気力を喪って立ち上がった。

「失礼するよ。面白い話を聞かせてもらった」

九鬼は私を引き止めようとはしなかった。

6

「ずっとホテルにお泊りで、ご不自由でしょう？」

九鬼の妻はハンドルを握ったまま、リヤシートに沈む私をバックミラーごしに見た。

「いえ。ルームサービスに飽きれば家に帰って食事ぐらいしますし、出版社もいろいろと気を遣ってくれますから。たまには手弁当の差し入れなどもね」

「何だか刑務所みたいで、お気の毒ですわ」

目元をあでやかに細めて、九鬼の妻は笑った。

ふと、九鬼が暮の中山で会ったというもうひとりの私は、無事に年を越すことができたのだろうかと思った。もしや借金に追われて悪事を働き、今ごろは本当の刑務所で、浮世から隔てられた暮らしを強いられているのではなかろうか。

「まあ、僕もご主人もいろいろありましたけど、おたがい何とか格好がついたようです」

「まったくねえ。他人様から見れば万事うまく行ったようでも、振り返ってみればゾッとするようなことがいくつもありましたわ。ほら、神田の店のお隣りに八百屋さんがありましたの、ご存じ」

「ええ。隣りは八百屋で、その先が文房具屋だった」

「二軒とも地上げにかかって立ちのいたんですけど、八百屋さんのほうはお金をぜんぶ株にかえて、結局はすっからかん。買いかえた土地も抵当に取られてしまったんですって。うちの主人も証券会社におりましたでしょう、危なく株でやられるところだったんですけど、うまく売り逃げましてね。ついてるんですよ、あの人」

「そのあたりはプロなんでしょう」

「いえいえ。本人も言っていました。どうせ借金だから済んだようなもので、家を売って現金を持っていたら、そうは行かなかったって。きっと八百屋さんと同じ目に遭っていたろうってね。あのころって、日本中がどうかしてましたもの。十億のお金なんて、きっとどこかに消えてますよ——新宿駅でよろしいんですか？」

「はい。デパートで買物をして行きますから」

「やっぱりご不自由ですわね」

「気楽なものです」

私はなにげなく新宿の雑踏に目を向けた。生活に合わせて人間の相が変わってしまうことは、自分自身の昔の写真を見ても明らかである。もしどこかで人生を踏みたがえていたとしたら、仮に人混みの中でもうひとりの自分とすれちがったとしても、気が付きはしないかもしれない。

「しかし、すごい人出ですね。東京の人口は、本当は三千万人ぐらい**い**るんじゃないかな」

九鬼の妻は、くすっと娘のような笑いかたをした。

「面白いことを考えますね——でも、こうして見るとそんな気もするわ」

私は妙な計算をした。国立競技場のサッカーの試合には十万人の観衆がつめかける。東京の人口はその百倍にしか過ぎないのだろうか。あるいは、東京競馬場のダービー当日には十数万人のファンがスタンドを埋めつくす。東京都民は、本当にあの数十倍しかいないのだろうか。

どうとも不自然な気がしてならなかった。


その夜、私は怖ろしいものを見た。

もし歩きながら夢を見たのではなく、狂ってもいないのだとすれば、幽霊や化物よりもはるかに怖ろしいものを、私ははっきりと目撃したことになる。

酒は一滴も入っていなかったし、体調はすこぶる良かった。デパートで下着と食料品を買い、行きつけのレストランで食事をし、地下街の喫茶店でコーヒーを飲んだ。その間に九鬼から聞いた話などすっかり忘れてしまっていたと言ってもいい。関り合いたくないものや、自分の思考に不必要なものは片っ端から忘れてしまう便利な性分なのだ。

新都心の高層ビル街へと続く地下道には、春の匂いのする生ぬるい風が吹き抜けていた。

段ボール箱で器用にこしらえたホームレスの家が、長くつらなっていた。

悲惨な人生の終末の場にはちがいないのだが、人影もまばらなホームレスの街を歩きながら少しも身の危険を感じないのは、この国の豊かさの証明だろう。ほんの好奇心から彼らの家を覗きこんでも、べつに機嫌をそこねる住人もおらず、中には親しげな微笑を返す者さえいる。

　地下道がまもなく高層ビル街に出ようとするあたりに、ホームレスの群と隔たった段ボールの一軒家が、壁に崩れかかるようにしてぽつんと建っていた。

　彼らの中にも疎外されている者がいるのだろうかと、私は歩みを緩めながら何とはなしに、まだ不慣れな感じのする細工を覗いた。

　突然、段ボールのすきまから灰色に汚れきった手が伸びて、コートの裾を摑んだ。泣き声とも怒りともつかぬ、呪わしい呻(うめ)きが聴こえた。節くれだった指が私をたぐり寄せた。

「おなかへったよお。食べるもの、おくれよお」

　コートの裾を摑んだまま、白髪の女が段ボールの裂け目からよろぼい出た。力は尽き、まるで逃れようとする私の力に引きずり出されたようだった。

　女の髪は紫色の瘡(かさ)に被われ、ぼろぼろの衣装から立ち昇る悪臭が鼻をついた。

　忘れかけていた九鬼の話が、濡れた衣のように私の体に被いかぶさった。

「九鬼さん、じゃないのか」

　女はぼんやりと私を見上げた。

「へえ……あんた、誰？」

「九鬼さんだろう。ちがうのか」

「あんな男、とうの昔にこっちから三くだり半さ。誰でもいいから、食べるものおくれよ」

私が差し出した食料品の袋を、女は舗道にへたりこんだまま受け取った。

「九鬼は、どうしてる」

「さあね。どこかで野垂れ死んだろう。噂も聞かないから、刑務所でも行ったか」

「僕の顔に見覚えはないかな」

ちらりと私の顔を見たなり、女は紙袋をもどかしげに破って物を食い始めた。

「お愛想ぐらい言いたいけど、あんたなんか知らないよ」

かかわってはいけないと私は思った。

早足で地下道から抜けると、無数の灯を窓にともした摩天楼が、のしかかるように夜空を被った。

私が住んでいる部屋の灯は、どれだ。

マダムの咽仏

1

——マダムは完璧な女だった。

カーテンのすきまから射し入る陽光に瞼を嬲られて目覚めたとき、明らかにいつもの朝とはちがう虚ろな空気の中で雅美が考えたことは、それだけだった。

——マダムは完璧な女だった。

気高く、美しく、話す言葉も挙措動作のいちいちまでも、まったく非の打ちどころがなかった。

奔放さと真摯さが、きちんと調和していた。七十歳という年齢は少しも魅力を脅かすことなく、時は移ろうのではなく積み上がって行くものなのだと、周囲の人々はみな思い知らされた。

カーテンを開ける。瞼をかばいながらマンションの窓の高さに盛り上がる桜を見た。生温い通夜が明け、児童公園を蓋う花は枝先から散り始めている。

「マーちゃん」

鏡の中で真弓が呼んだ。

「ぼんやりしてないで、仕度しないとお葬式に遅れちゃうわよ。あなたのお化粧は女の倍もかかるんだから」

「うるせえなあ。時間ぐらいわかってるよ」

「わかってたら早くしないと。十時よ、もう」

「きょうは男だって」

羽根蒲団を抱えこむと、真弓のくぐもった笑い声が聴こえた。

「男って、お店の人たちも、みんな?」

「さあな。店をほっぽらかして通夜に駆けつけたら、ヒンシュクを買ったんだ。焼香に来てたのはあんがいふつうの人ばかりでさ」

真弓の高笑いにつられて、雅美も声をたてて笑った。

マダムの訃報が店にもたらされたのは、「お花見祭り」の宴もたけなわのショー・タイムの真最中だった。チーママが青ざめた顔でステージに上がり、男声でわんわん泣きながら言ったのだ。

お楽しみ中のところ、ごめんなさい。みんな、びっくりしないで聞いてね。マダムが……死んじゃったって——。

どよめきさえ起こらなかった。誰もが凍えつき、ややあって氷の溶けるように、あちこちからすすり泣きが洩れ始めた。

もちろん「お花見祭り」のイベントは中止になった。店を閉め、とるものもとりあえず通夜に駆けつけたのだから、しめやかな夜更けの寺は混乱した。

「そりゃたしかにヒンシュクものだわね」

笑いをこらえながら、真弓はルージュが引けずに鏡と向き合っている。

「しかも、うちの店ばかりじゃなかったんだ。二丁目のゲイやオカマが片っ端から店を閉めて飛んできたんだから。お寺の近所から通報があったらしく、しまいにはパトカーまで来た」

通夜の喧噪には慣れているはずの住民たちも、さすがに気味悪くなったのだろう。オカマが人畜無害であることは彼らも知っているだろうが、真夜中の参道を着のみ着のままの衣裳が走り回れば、誰だって怖い。

もっとも一番怖い思いをしたのは、傷心のオカマたちに食ってかかられた警官たちだったろうけれど。

「というわけで、きょうの葬式はなるべく男の格好で行こうってことになったんだ」

「へえ。でも、急に男になるなんて器用なこと、みんなできるの？」

「できない人もいるかもしれないけど、そういうのは見た目もふつうの女に見えるからね。つまり俺みたいなハンパなやつらは、きちんとブラック・スーツを着てこいってこと」

「マーちゃん、喪服なんて持ってたっけ」

「喪服はないけど、グッチの黒のスーツ。あれでいいだろ」

「まだデートもしてないのにな」

と、真弓は下着姿のまま立ち上がって、洋服ダンスを開けた。

高価なスーツは、バレンタインのプレゼントに真弓が贈ってくれたものだ。

「はい、起きてシャワー浴びなさい。きょうは男だからね、言葉づかいとか歩き方とか、気をつけるのよ」

「女房ヅラするなよ。ほっとけ」

真弓の手を振りほどいて、雅美はバスルームに入った。

熱いシャワーで体臭を洗い流す。真弓の移り香と夜の化粧が剝がれ落ちると、隠されていた男の匂いが浮き上がってくる。

ボディ・シャンプーで泡まみれになりながら、雅美はふと手を止めた。

シャワーを浴びるとき、マダムの体からもまだいくらかは男が匂い出たのだろうか。

あらぬ想像に、雅美はうっとりとした。

マダムは完璧な女だった。親から貰った体を傷つけてはいけないという説教は毎日の口癖で、お医者の世話になるどころかホルモン注射さえしたことはなかったそうだ。だのに肌は琺瑯（ほうろう）のようにつややかで、声は高く澄み切っていた。

マダムといういささか大時代な呼び名も、二丁目では「銀花のママ」を指す固有の名前だった。

「ところで、お店はどうなっちゃうの？」

　ドアの向こうで真弓が訊ねた。

「チーママがやってくって。マダムのパトロンもそう言っているらしい」

「マダムのパトロン？」

「俺も会ったことはないんだけど。通夜にもそれらしい人はいなかった」

　へえ、と真弓は愕きながらバスルームに顔をつき入れた。

「マダム、旦那がいたんだァ……」

「べつにふしぎなことじゃないだろう。あれだけの女っぷりなんだから、男がいないほうが変だよ」

「私、行かなくていいよね」

「当たり前だ。いっぺん食事をごちそうしてもらっただけじゃないか」

「お説教されたのもいい思い出ね。なんて言われたか覚えてる？」

「忘れたよ」

　真弓の溜息が背に触れたような気がして、雅美は頭からシャワーを浴びた。

「ところで、こんな早くからどこ行くんだ」

「お客さんとデート。映画でも観て、食事をして、お店に同伴してもらう」

「ふうん……」

「妬かないの、マーちゃん」

「仕事のうちなんだから、仕方ないだろう」

じゃあね、と邪険に言って、真弓は出て行った。

熱い体にローションを塗りたくりながら、雅美はマダムのことばかりを考えた。あまりに突然すぎて、実感は何もない。通夜も葬式も大がかりな洒落なのではなかろうかと、まだ疑っている。

そのほうがずっと自然な気がする。

2

「私もいろんな子に会ってきたけどねえ、フィアンセと一緒に面接にきたっていうのは、あなたが初めてよ。あいた口がふさがらないわ。ついでにごはん食べましょ」

そういう趣味はまるでないのだから、ゲイ・バーの面接に行ったのは冗談半分だった。たぶんマダムも、それはお見通しだったと思う。食事に誘ったのは、はなから説教をするつもりだったのかもしれない。

劇団の打ち上げパーティが二丁目に流れ、初めてゲイ・バーなる場所に行った。あなた可愛いわね、うちでアルバイトでもしたら、と言ったマダムの言葉を真に受けて面接にやってきたのだった。

「べつに、フィアンセというわけじゃないんですけど」

と、真弓が言いわけをした。

「あら。いずれご結婚なさるんじゃないの？　私はまた、婚約者が心配でついてらしたんだとばかり思ったわ。酔狂を思いとどまらせようとして。ちがったの？」

「ちがいます、ちがいます――ふざけてお化粧をしてあげたら、あんまり可愛くでき上がっちゃったんで、これなら二丁目でアルバイトできるかな、って。ほんの軽い気持でちょっと行ってみようかってことになって……」

「軽い気持じゃ務まらないわよ」

雅美はマダムの美しさに見惚れた。これほど上品に、また魅惑的に老いた女性は見たことがない。いや、老いるということそのものが、実は成熟なのだとは知らなかった。

「この世界にはね、劇団あがりの人ってとても多いの。みんな役者だから、べつにそのけがなくってもじきになじめる。それはそれでいいのよ、食べてくための方法だと思えば。でもねえ……彼女がホステスのアルバイトをしているから、あなたもゲイ・バーのホステスになるっていうの、ちょっと簡単すぎやしない？」

レストランの席につくとすぐに、支配人が挨拶にやってきた。マダムは一流ホテルからも最大の敬意を払われるほどの名士だ。誰もオカマやゲイなどという呼び名は思いつかない。性の概念を超越した、マダムはひとつの文化にちがいなかった。

「あの、私……ごめんなさい、マダム。好奇心だけだったんです。お化粧したこの人があんまり可愛いんで、誰かに見せたくなって」

「だったら、銀花のマダムに見せようってことね。光栄だわ」

オードブルを口に運びかけて、マダムは嫣然と微笑んだ。

小劇団の役者は仕事ではない。かと言って、趣味でもない。水商売を仕事に選ぶのは、昼間の時間が稽古に使えるという利点よりもむしろ、まともな職場に腰を据えて夢を見失いたくないからだ。

「で、あなたがたはフィアンセではないとすると、恋人同士ってことなのかしら」

「の、ようなものです」

雅美はいいかげんな返事をした。正しい答えだとは思う。真弓との間にことさら恋愛感情を抱いているわけではない。

「なりゆき、です」

相槌を打つように真弓が言うと、マダムは細い眉をひそめて二人を見つめた。

「のようなもの。なりゆき。どっちも私の好きな言葉じゃないわ。もう少しうまく説明して」

マダムは決して年齢を偽っているわけではない。とうに死に絶えてしまった貴顕社会の婦人のように、年なりの美しさを誇っている。おそらく祖父母と同じ年回りなのだろうと思うと、雅美は自分でもふしぎなくらい従順になった。

「彼女とは郷里の同じ高校で演劇をやっていたんです。東京に出てきて、連絡を取り合いながら、同じ劇団のオーディションを受けて――同じ夢を持っているから、一緒にいると安心できるし、生活するにしたって一人より二人のほうが経済的ですから」

「なるほど。とてもよくわかりました」

それ以上の理由はない。雅美が口を閉ざしたところでマダムはきちんと納得してくれた。

「つまりこういうことね。客観的には恋人のようなものだけれど、さしあたって格別の感情はない。夢を支えるために、このなりゆきは必然、というわけ。どうしてなかなか立派なものだわ。ちゃんと説明ができるんだから」

マダムはそれから、二人の関係には言及しようとせずに、映画や演劇の話をしながら食事をすませた。

初めて口にしたフルコースの味は覚えていない。マダムの教養と、それを少しもひけらかすふうもなく語る巧みな話術に、雅美は魅せられた。

コーヒーを飲みながら、マダムは深い夜空の色のドレスの膝を組み、ひとつだけ説教をした。

「夢を人生の免罪符にしたらおしまいよ。役者になるためなら男を捨ててもいいとか、好きでもない人と一緒に暮らしてもいいとか、夢のためなら何をしてもいいと言ったら人生はおしまい。うちで働くのはかまわないけど、女になる必要はない。もうひとつ、一緒に暮らしているのなら、愛し合いなさい」

羽毛のストールを翻して席を立ったマダムの、思いがけぬ背の高さに雅美は愕いた。しとやかな女性らしく、大きな体を小さく華奢に見せるしぐさを、マダムは身につけているにちがいなかった。

3

六本木の喫茶店で顔を合わせたとたん、雅美とカオルは互いの男ぶりに目をみはった。

「マーちゃん、いい男ね。オカマにしとくのはもったいないわ」

カオルは横浜の病院長の倅で、医大を中退してこの道に入ったという変わり種だ。何でも二年生の解剖実習のときに卒倒して、それきり大学をやめてしまったらしい。親に勘当されて、ボーイズ・マッサージなるいかがわしい店で働いていたところを、マダムに拾われたそうだ。ずいぶんドラマチックな過去だが、オカマは嘘をつかない。

うららかな春の陽射しの中を、二人は飯倉の寺まで歩いた。

カオルの表情に愁いはなかった。たぶん雅美と同じように、マダムの死を実感できずにいるのだろう。きっと何かの拍子に、悲しみは突然やってくるにちがいない。

昨日の通夜の席では、会葬者たちの顰蹙を買ったり警官と揉めたりしたおかげで、悲しみに捉われる余裕がなかった。涙を見せていたのは、三十年もマダムと苦楽を共にしたチーママだけだった。

「心不全って、心臓マヒのこと？」

歩きながら雅美はカオルに訊ねた。元医学生で、父親も二人の姉も揃って医者というカオルは、病気についてはめっぽう詳しい。

客から何かを訊ねられると、どこまで本当の知識かはわからないが、とりあえず医者のような受け答えをする。そんなときのカオルの表情は、まったく若い女医だった。

「心臓マヒっていうのは、心不全の俗称ね――マーちゃん、あんた何か思い当たるふしはある？」

「思い当たるふし、って――」

「お医者にかかっていたとか、薬を飲んでいたとか、狭心症の発作があったとか」

どう考えても、マダムは健康そのものだった。不幸な姿を発見したのは通いのメイドで、よほど動顚したのだろうか警察に事情聴取をされて遺体を検べおえるまで、店に連絡をすることすら忘れていたのだった。

「寝つかれないとき、睡眠薬を飲むことがあるって言ってましたけど」

「それは昔からよね。毎日朝まで騒いでるんだから、誰だって睡眠薬はごはんみたいなものだわ。今さら量をまちがえるわけもないし――何よ、マーちゃん。人の顔ジロジロ見ないで」

カオルは厚い眼鏡をかけていた。待ち合わせたとき、とっさにそうとわからなかったのはブラック・スーツのせいではなかった。

「メガネ、似合いますね。ふだんはコンタクトだったんですか。知らなかった」

「オカマがメガネかけてたんじゃサマにならないでしょ。でもふしぎよね、家に帰ってコンタクトはずしてメガネをかけるとね、気分が男になるの」

交叉点に道案内の男が立っていた。二人を認めて軽く会釈をし、二つ目の角を曲がって路地の奥、と要領を得ぬ道案内をした。

「きのうもずいぶん迷ったけど、わからないはずだわ、こんなところじゃ」

「檀家なのかな、マダム」

「さあ。たぶん笠置(かさぎ)さんのお寺よ」

「笠置さん、て?」

「マダムの、パトロン」

と、カオルは歩きながら拇指(おやゆび)を立てた。

「あんたは知らないだろうけど、大きな会社の社長さんで、この前なんか勲章もらったくらいの偉い人よ。あたしたちが何もしなくていいんだから、ぜんぶ取り仕切ってくれてるってこと」

大通りを折れると、あたりは様子の良い邸宅街になった。どのお屋敷からも、塀ごしに満開の桜の枝が張り出している。

舞い散る花に巻かれながら、二人は路地の奥を目指して歩いた。一歩ごとに足裏が粘りつくような気がした。

昨夜は狭い路地をタクシーが曲がれずに、このあたりからみんなで走ったのだから、さながら百鬼夜行だったろう。桜が満開の夜更けに何十人ものオカマが疾走すれば、お屋敷街の住人たちは驚愕する。

「きょうは走る気にもなれないわ」

と、カオルは溜息をつきながら言った。

「心臓は初めての発作が勝負なのよ。狭心症の持病に気付いていれば、ふだんから気をつけるわ。お風呂に入るときも、食事をするときも、ちょっとした運動をするときだって気にする。薬も持ち歩くようになるしね。血管拡張剤っていうのは劇的に効くから」

「へえ……そうなんですか。だとするとマダムは、心臓の病気に気付いてなかったのか」

「たぶんね。狭心症の自覚症状なんて、ふだんから健康な人はみんな神経痛だと思うの。胃が痛いとか、肩が凝るとか思う人もいる。そのうちドスンと心筋梗塞がくれば、どうしようもないわ。初めての発作が勝負、っていうのは、つまりそういうことよ。お医者と縁遠い人ほど、このドスンが怖いわけ」

マダムは孤独なマンションの寝室で、得体の知れぬ苦しみに襲われたのだろうか。救けを呼ぶこともできず、受話器にも手の届かぬまま、老いた心臓は突然止まってしまった。

「もっとも――七十を過ぎて毎晩あんなにお酒を飲んでたら、何があったってふしぎじゃないわ。そういう生活をさせていたあたしたちにも責任はあると思うけど」

路地の曲がり角に立つミラーを見上げて、二人は身づくろいをした。桜の花に縁取られた凸面の鏡に、にわか男のふたつの顔がクローズ・アップされる。

「髪、切ろうかな」

男らしくオール・バックに撫でつけた髪の裾を後ろ手に束ねて、カオルは背伸びをした。

「似合いますよ、きっと。それでメガネをかけてお店に出れば、受けますよ」

「ちがうわよォ」

と、カオルは真顔になって雅美を睨みつけた。

「オカマをやめようか、ってこと。親に頭を下げて病院の事務員におさまるのも、悪かないわ。もともとはお坊っちゃまなんだからね、これでも」

たぶん、カオルはマダムからそう言われ続けていたのだろう。

4

故大内慎太郎告別式——

悲しみはやはり突然にやってきた。

本名を掲げた看板を見上げたまま、カオルは立ちすくんでしまった。

「どうして死んだとたんに男になっちゃうのよ。ひどいじゃない」

慰めの言葉は思いつかなかった。雅美が小肥りの肩を抱き寄せると、カオルは人目も憚らずに声を上げて泣いた。

マダムに裏切られたような気がしたのは、雅美も同じだった。

「マダムの名前、知ってたんですか」

雅美の肩で眼鏡を軋ませながら、カオルはかぶりを振った。

昨夜は寺のどこにも、その名前は見当たらなかった。一夜が明け、すべてが世間並みの体裁を整えて、春の陽射しの下に晒け出されたのだった。

カオル、マーちゃん、と山門の向こうからチーママが手招きをした。きちんと喪服を着こんだ女っぷりはマダムゆずりで、参会者は誰もその正体になど気付くまい。着物のよく似合う小柄な体は、境内の低い桜の枝に包みこまれていた。

「しっかりなさい、カオル。お身内の人や笠置さんの会社の人も大勢いらしてるんだから」

チーママに歩み寄ると、まるで母でも見下すように、カオルは口応えをした。

「笠置さん、ひどいよ。勝手にこんなお葬式を出しちゃって」

チーママはカオルの腕を摑んで、花影に引き入れた。

「笠置さんが仕切ったわけじゃないのよ。お仕事で外国にいらしていて、いま成田からこっちに向かってるの」

そう言えばパトロンらしき人の姿は、通夜の席には見当たらなかった。

「じゃあ誰よ。誰がマダムを男にしちゃったのよ」

「声が大きいわよ、カオル」

チーママの視線を追って、雅美は本堂に目を向けた。

「誰よ……」

白い菊の花を胸に飾った四十がらみの紳士が二人、参会者に挨拶をしていた。

「誰なのよ……」

「見りゃわかるでしょうに」

たしかに、考えるまでもなかった。兄弟であるらしい二人の紳士は、故人の親類というほど疎遠な感じはしなかった。何よりもマダムの面ざしを、二人ともそっくり享け継いでいた。

「ご長男は銀行の支店長。次男は大学の先生。後ろにいらっしゃるのは一番上のお孫さん。大学生ですって」

見るからに精悍でたくましい、たとえば運動部のキャプテンという印象の青年は、こちらに目を向けて会釈をした。

写真に似ている、と雅美は思った。通夜の祭壇に飾られていたのは、若い時分のモノクロ写真だった。男性として送られるマダムの棺に添える写真は、何十年も昔のものしかなかったのだろうか。

カオルは嘆くことも忘れて、ぼんやりと遺族たちを見つめていた。

「後ろでお孫さんたちと遊んでいるのが、お嫁に行ったお嬢さん。ああ、それから——テントの下に座ってらっしゃるでしょう。年配のご婦人」

目を据えたまま、唇だけでカオルが呟いた。

「まさか、奥様だとかいうんじゃないでしょうね」

「ええ。その、まさかよ」

「どういうことか説明してよ。どうなってるのよ、いったい」

「見た通りよ。説明することなんて何もないわ」

「マダムには隠し妻と隠し子がいたってことね。ひどい話だわ」

「それは、ちょっとちがうわ」

チーママの穏やかな口ぶりはマダムに似ていた。

「隠してなんかいない。あなたらには言う必要がなかっただけ。マダムは週末にはきちんと背広を着て、世田谷のご自宅に帰ってたの。あたしがお店に入ってからずっと、三十年間ずっとそうしてらした」

えっ、と声を上げたなり雅美は言葉を失った。カオルは桜の根元に沈みこんでしまった。

「やだよォ、そんなの。週末はいつも軽井沢の別荘だって、どうりで一度も連れてってくれなかったはずよね」

西麻布のマンションには、雅美も何度か行ったことがあった。マダムの酒が過ぎたとき、マンションまで送って行くのはこの一年の雅美の役目だった。

アンティークな調度品や高価な絵や、人形やぬいぐるみで所狭しと飾り立てられた部屋には、男の匂いなどかけらもなかった。だから笠置というパトロンの存在すら、雅美には意外だったのだ。

笠置さん――そうだ、週末には必ず背広を着て帰ったという世田谷の家に、こんなにきちんとした家族がいたのなら、笠置という人はいったい何者なのだろう。

しかもそのパトロンは、出張先の外国から取って返して、この寺に向かっている。

当然の懸念を、雅美は口にした。

「あの、チーママ。お葬式っていうのはいろいろと面倒なことも起こるとは思うんですけど。まずいことになりはしないですか。みんな大人だからごたごたはしないにしろ、何だかものすごく気まずいことが――」

「面倒なのはあたしたちだけよ」

チーママは花の巻き上がる境内を、ぐるりと見渡した。あちこちにブラック・スーツを不器用に着たオカマや、男にも女にもなりきれぬ半端な出で立ちの連中が、所在なげに佇んでいる。

「なるたけ来るなって言っといたのに。日を改めてあたしたちだけのお別れ会をするからって」

足元で子供のように膝を抱えたまま、カオルが言い返した。

「そんなの無理よ。マダムの世話になってない子なんて、二丁目にはいないんだから。あたしなんて、親が死んだってこっちに来るわ」

「あんたは黙ってな。何も言わずにそうやっていじけてりゃいいの」

親に叱られたように、カオルはまたぐずぐずと泣き始めた。

「ねえ、マーちゃん。あんたきのうのお通夜のこと、ずいぶん怒ってたみたいだけど、わかったでしょう」

「お通夜っていうのは、何はさておき駆けつけるものだとばっかり思ってたんです」

参会者たちの顰蹙を買って、焼香もそこそこに寺から追い払われたのは当り前だった。家族たちには故人の人格を確定する準備が、まだ整っていなかったのだ。

「小さなお孫さんたちとか、自宅のご近所の人とかもいたことだし——」

「ちがうわ」

と、チーママは控え目に紅を引いた唇を歪(ゆが)めて笑った。

「マダムの正体は誰も知らなかったの。立派なお子さんたちも、たぶん奥様もね」

「うそ……」

「ほんとよ。笠置さんの会社に勤めていることになってたの。七十過ぎるまでずっと笠置さんの片腕。嘘は大きいほどバレにくいっていうけど、大したものだわ、とうとうあの世まで秘密を持ってっちゃった」

だとすると、雅美の懸念していたトラブルなど、何も起こりようはないことになる。外国から駆けつける笠置は、この大芝居の幕をきちんと引きに来るのだ。

「あの、チーママ。ひとつだけ訊いていい？」

すっかり空気の抜けてしまったカオルが、ハンカチで眼鏡を拭いながら訊ねた。

「西麻布のマンション、どうするのよ。あのお部屋を見たら、ぜんぶわかっちゃうじゃないの。あの人たち、もう見ちゃってるかもしれない」

華麗な調度品、人形、ぬいぐるみ、紫色のカーテンにピンクのベッドカバー。ドレッサーの前には化粧品がずらりと並んでいて、クローゼットはきらびやかなドレスで埋まっている。

「そこまでは知らないわ。女がいたってことで、納得するんじゃないの。週に五日は帰らなかったんだから」

「その女、どこへ消えたの」

「かかわりを避けて、姿をくらました。誰も会ったことがない。名前も知らない。いいじゃないの、それで」

「うそつき」

と、カオルは吐き棄てるように言った。とたんにチーママは、カオルの長いうなじを摑んで引きずり上げた。低い、あらくれた男の濁み声を絞って、チーママはカオルを叱りつけた。

「おい、カオル。てめえ、何年オカマで飯食ってやがるんだ。その間、いっぺんだって嘘をつかなかったか。親兄弟には何て言ってる。まさか二丁目でオカマをやってますとは言っちゃいねえだろう」

「……そりゃ、まあ。すんません、言い過ぎでした」

カオルの物言いも、とっさに男に変わっていた。

「いいか、カオル。ひとつだけ教えといてやる。人間、ちいせえ嘘をつかぬためにはな、でけえ嘘をつき続けにゃならねえんだ。男の器量ってのは、そういうもんだ」

小柄なチーママの体が、カオルより頭ひとつも大きく見えた。

「わかったわね、カオルちゃん——あら、笠置さんがいらしたわ。お迎えしなくっちゃ」

声音を改めて、チーママはカオルの頰を指先で拭った。

黒いリムジンが沿道の花を吹き上げて、山門を抜けてきた。

5

遺族や参会者たちに迎えられて、境内の玉砂利の上に降りたったその老紳士の顔には、たしかな見覚えがあった。

店に来たことはない。だとするとたぶん、新聞か雑誌のグラビアで目にしたことがあるのだろう。きれいに禿げ上がった頭、頑丈そうな短軀、いかにも精力的な色つやの良い顔。ただの実業家ではない、立志伝中の傑物という印象が全身に漲っていた。

思い出した。大手の銀行が破綻したとき、テレビのインタヴューで「ざまあみろ！」と暴言を吐いて物議をかもした男だ。

何日か後にまたマイクを向けられ、発言の撤回をするかと思いきや、笠置はぶ厚い唇をぶるぶると慄わせてこんなことを言った。

（知れ切った往生をとげたんだから、ざまあみろじゃあないですか。ちがいますか。踊らなかった良識人から見れば、やっぱりざまあみろでしょう。もういっぺん言います、ざまあみやがれ！）

二度までも堂々と発言されたのでは、さすがのマスコミも返す言葉がなかったとみえて、騒動はそれきりになった。表現はともかくとして、言わんとすることはもっともなのだから、世間はぐうの音もなかったのだ。

実際に目のあたりにすると、これほど傑物ぶりのわかりやすい人物はいない。リムジンからは続いて何人かの取り巻きが降りたが、みな笠置とは数歩の距離を取って立っている。かわりにどこからともなく、セキュレタリーらしい屈強な若者が現れて、笠置の左右を固めた。

遺族に丁重な挨拶をすると、笠置はあらかじめ知っていたかのようにこちらを振り返り、チーママに向かって「やあ」と親しげに手を挙げた。

「いろいろと大変だったね。じゃあ、のちほど」

チーママは深々と頭を垂れたまま、笠置が本堂に消えるまで動かなかった。

「お経が始まるわ。行きましょう」

「あたし、ここにいます」

と、カオルは言った。

「そうね。お焼香しながらメソメソされるよりいいわ。マーちゃんは」

「カオルさんと一緒に」

線香の煙と憂鬱なお経の合唱と、不可解な空気とが渦を巻く本堂には、どうしても入る気にはなれなかった。

境内の隅のベンチに腰を下ろして、二人は出棺を待った。

「あたし、やっぱり家に戻るわ。何だかくたびれちゃった」

「え、火葬場まで行かないんですか」

「そうじゃなくって、実家に帰るってこと。お店をやめて」

「ああ……そうか。それもいいですね」

「あんたはどうするのよ」

カオルは雅美の私生活を知っている。いきなり人生の決断を迫られたような気がして、雅美は煙草をくわえた。

「悪い癖よ、あんた。タバコをすうときは、人にも勧めなさいってマダムが言ってたでしょう」

どうぞ、と雅美はパッケージを向けた。マダムはそういう古くさいならわしに拘る人だった。

「ねえ、マーちゃん。あんたどうするのよ。オカマなんかじゃないただのナルシストだってことぐらい、お見通しよ。可愛い彼女もいるんだしさ、そろそろ足を洗ったら——名前、何てったっけ」

「マユミ、です」

「役者になるってのもけっこうだけどさ、それはそれとして、ふつうに生きることを考えたほうがいいよ。オカマも悪くはないけど、あんたのしていることはふつうじゃないよ、やっぱり。マユミがかわいそうだよ」

カオルは頭がいい。医者にならずにオカマになったのは、人一倍やさしい心を持っているからなのだろう。人間の体にメスを入れることが、カオルにはどうしてもできなかったのだ。

「マダムの秘密、応えたわ。チーママに言われて、もっと応えちゃった。嘘をつくのって辛いもんね。あたし、もう自信がないよ」

「芝居の勉強になると思ったんですけど……」

「なった？」

「お化粧とか、ショーとか、お客さんを笑わすこととか、いろいろと勉強にはなったと思うけど」

まる一年の間、嘘をつく勉強をしたのだと雅美は思った。銀花という古いゲイ・バーを舞台にして、自分自身を偽る芸を学んだ。

雅美は足元に屈みこんで、砂利の上に「芸」という字を書いた。

「ねえ、カオルさん。ゲイ・バーのゲイって、これですか」

「さあ。それって、説得力があるけどね、何だか」

東京に出て劇団に入れば、未来はすぐに開けると思っていた。もしかしたらマダムは、その考えの甘さを思い知らせるつもりで、自分を雇ったのではないかと雅美は思った。

カオルは思慮深い表情でしばらく煙草をくゆらせ、やがて思いついたように言った。

「とりあえず何かになるっていうのは、あんがい簡単なのよね。嘘をつけばいいんだから」

「嘘、ですか」

「嘘でもハッタリでも、肚(はら)をくっちゃえばいいんでしょう。そしたらなれるわよ。役者でも、医者でも、オカマでも。もしかしたら総理大臣にだってなれるわ。でも、とりあえずそうなってから、そのさき本物になるっていうのはものすごく難しい。それが、芸っていうやつじゃないのかな。あたしがさっき、もう自信がないって言ったのはね、つまりそういうこと。嘘をつき続けて芸にしちゃえるほど、根性も才能もないわ」

ふと、それまで一度として思ってもみなかった考えが胸をかすめた。

本当は真弓を愛しているのではないか。心の底から真弓を愛しているのに、搦めとられてしまうのがいやで、愛してなどいないのだと思いこんでいるのではないか。

いらいらと煙草をつけ回すうちに、やがて出棺の時がきた。

6

参会者たちはほとんど帰る者もなく、そっくり火葬場へと移動した。

季節の変わり目のせいなのか、友引の日と隣り合わせでもあったのか、火葬場はたいそうな混雑だった。

窯の前で、雅美は初めてマダムの死顔と対面した。

顔を見れば不可解な謎が解けると思ったのだが、化粧気の何もない、しごく当り前の老人の死顔を見たとたん、いよいよわからなくなった。

(父は、家庭においてはまことに良き夫であり父であり、祖父でありました。また職場においては、本日葬儀委員長の労をとっていただきました笠置社長の片腕として、ほぼ半世紀の長きにわたり、戦後の日本を支えて参りました——)

出棺のとき、長男が涙ながらに述べた挨拶の言葉に、疑いようはなかった。

マダムは半世紀の長きにわたり、壮大な嘘をつき続けたのだ。

ぼんやりと立ち去り難く棺の小窓を覗いていると、笠置が背を押した。

「失礼。お気持はわかるが、後がつかえておるよ」

場所を譲ってから、雅美は笠置の表情に注目した。壮大な嘘の共犯者。いったいこの老人は何の目的で、マダムの二つの顔を支え続けたのだろう。

「大内。オオウチ、オオウチ——」

小窓を覗き込むと、笠置は台詞でも読むように、十回も名前を呼んだ。

「ごくろうさん。よくやった。大したものだ。ここまでできればキサマ——」

そこまで言いかけて咽を鳴らし、笠置は棺を離れた。

「よろしいですか。では、合掌」

係員が帽子を脱いで掌を合わせた。すると思いもよらぬ素早さで窯の扉が開けられ、棺は消えてしまった。

読経とともに窯が低い唸りを立て始めた。

「マダム！」

金切声が群衆の中から上がって、雅美はひやりと振り返った。唇を嚙みしめて慄えるカオルの肩を、チーママが押さえつけていた。

「大内、オオウチ！」

カオルの声を覆いかくすように、笠置が濁み声を張り上げた。

「マダム！」

「やめなさい！」

チーママがカオルを抱きかかえるようにして、外に連れ出した。
会葬者たちのどよめきはほんの一瞬だった。大内、とさらに一声叫んだなり、笠置は読経を続ける坊主の後ろに気を付けをして、突然誰も聞き覚えのない勇壮な歌を、拳を打ち振って唄い出したのだ。

戸山ヶ原の朝づく日
富士の高嶺の夕映えも
希望の窓に照りそいて
甍(いらか)そびゆるわが武寮
集える健児の身(むくろ)には
赤き血潮のたぎるあり

大内山の松風は
絶えずわれらに吹きそいて
金枝玉葉かげふかく
仁慈(めぐみ)も光栄(はえ)もしるきかな
集える健児の心には
堅き志操のなからめや

世界に又なき皇国(すめぐに)の
未来の干城と立たん身の
手折りかざすは美わしき
至誠正義の花紅葉
花や紅葉と散りぬとも
名は万代(よろずよ)に残さなん

「あの、ひとつお訊きしていいですか」

骨(こつ)上げを待つ間、セキュレタリーたちの隙をついてビールを注ぎながら、雅美は笠置の耳元で訊ねた。

「何かね。問われて答えられぬこともままあるよ」

奇妙な歌を唄いおえたとたん、笠置は精も根も尽き果てたふうに肩を落として、待合室へと向かった。

「さっきの歌なんですけど」

笠置は鼻で嗤(わら)い、不愉快そうにビールを飲んだ。

「若い者に言っても始まらん」

「教えて下さい。あの歌は何か意味があるんですか」

「まさか警察の人じゃあるまいね」

「いえ、オカマです」

笠置は笑わずに、真顔で雅美を睨み返した。

「リクヨウの校歌だよ」

「リクヨウ？」

「陸軍幼年学校。大内と俺は同期だった」

笠置は雅美の首を抱き寄せるようにして、ほんの手短かに、二人の秘密を囁いた。

聞いてはならぬことを聞いてしまったような気がした。

「大内は死ぬと言ってきかなかった。戦に負ければ女はみな犯され、男はキンタマを抜かれてオカマにされるのだ。そんな目に遭うくらいなら腹を切って死ぬとあいつは言った。オカマになっても生きろと俺は言った。八王子の兵舎の裏山で死ぬの生きるのと殴り合った。俺がようやく組み伏せたとき、あいつは言ったんだ。よし、オカマになってでも生きてやる、見てろよ、笠置。俺たちはその春に幼年学校に入校したばかりの、十三の子供だった――」

しばらく目をそらさずに睨み合ってから、雅美は訊ねた。

「……それ、マジですか」

充血した大きな目を閉じて、笠置は雅美をつき放した。

「嘘だよ。そんな美談が、オカマだらけの日本にあってたまるか」

もしや自分は冷たい人間ではあるまいか。

とりたてやさしい性格ではないことはわかっている。ナルシストだとカオルは言ったが、それは確かかもしれない。

仲間たちはみな泣いている。だが涙がこぼれるほどの悲しみはやってこなかった。

火葬場の二階ホールは冷ややかなタイル貼りで、窓には満開の桜が溢れている。骨上げの時間が来て、会葬者は半分ほどに減っていた。

「あんまり目立っちゃまずいから、よその店の子は追い返したんだけど――けっこう残ってるわねえ。ま、いいか」

続きの小部屋に骨が上がった。会葬者たちはテーブルの周囲に輪を作った。

スチールの平たい箱には、「故大内慎太郎」と書かれていた。その名前は、もう二度と見たくはないと雅美は思った。

「説明はいらんよ」

笠置に言われて、係員は少し不本意そうに蓋を開けた。天窓から射し入る午後の光の中に、骨の粉が舞い上がった。

「しっかりしたお骨ですねえ」

「説明はいらんと言っただろう。さがっていたまえ。骨拾いは百回もやっているんだ。手順ぐらいは知っている」

笠置は係員を乱暴に押しのけると、箸を手に取って、未亡人と長男の名を呼んだ。

「この齢になると、仏さんはここが悪かっただの、骨が厚いだの薄いだの、そんな話は聞きたくはありませんよ。ねえ、奥さん」

「何から何までご配慮して下さって、有難うございます」

箸を受け取ると、未亡人は拝むような格好で笠置に頭を下げた。

人垣の後ろから、カオルが雅美の腕を引いた。

「ちょっと、マーちゃん」

カオルは青ざめていた。戸口まで雅美を引き戻すと、切実な声で囁いた。

「あたし、信じない。ぜったい信じないからね。きっと長いこと別居してたのよ。若いころに別れたままで、お葬式だけ格好つけてるんだわ」

そう考えるほうが、ずっと自然だ。しかし待合室での笠置の告白が、雅美の耳を離れなかった。とっさの作り話にしてはできすぎている。

「本当だと思うけどな」

「どうしてよ。そんなことって、あるわけないじゃない。四十年も五十年もよ。常識じゃ考えられないでしょうに」

「でも、マダムも笠置さんも、常識にかかるような人じゃないから」

「軍歌なんか唄ってごまかしやがってさ。とんだ食わせ者だよ、あのおやじ」

その軍歌の来歴を、カオルに話して聞かせる自信はなかった。

骨拾いが進むほどに、男と女と、そのどちらでもない裏声の啜り泣きが部屋の中に満ちた。

壁にもたれて目を閉じると、見知らぬ夏の日のまぼろしが瞼に浮かんだ。

油蟬がかまびすしく鳴き上がる兵舎の裏山。木洩れ日の中で殴り合う少年。二人は選び抜かれたエリートだったのだろう。

喧嘩の原因は、悲しいくらい純粋だった。生きるべきなのか、死すべきなのか。長身の少年の手には短刀が握られており、ずんぐりとしたもうひとりの少年は、それを奪おうとした。

力ずくで結論を出したのではないのかもしれない。草むらを転げ回りながらついに力尽き、蟬しぐれの中に並んで仰向いて、二人は選び抜かれた少年らしく、静かに話し合ったのではなかろうか。

そんな美談がオカマだらけの日本にあってたまるか、と笠置は言った。

だが、本当はこう言いたかったのではないだろうか。

こんな美談を今さら誰が信じるものか。オカマばかりの日本人が信じるものか、と。

もしかしたら——長身の少年は親友の説得に応じようとはせず、短刀を奪われたまま山に残ったのかもしれない。やがて日が昏れ、少年はようやく兵舎に戻った。魂を蜩の鳴く雑木林に置き去ったまま、汚れた軍服を着た肉体だけで。

笠置の濁み声が雅美の白日夢を破った。

「おい、そこのお二人さん。骨を拾ってやってくれ」

雅美は怖気づくカオルの背を押して、あらかた粉ばかりになった骨に歩み寄った。

「あたし……だめ」

カオルはハンカチを口に当てたまま、蹲ってしまった。

チーママがまともな言いわけをした。

「この子、解剖ができなくってお医者さんをやめちゃったんです。勘弁してあげて下さい」

人々は泣きながら笑った。

「なら、わしがかわりに拾おう。なんだい、若い君らのために、とっておきのお骨を残しておいたのに」

箸を受け取るとき、雅美は笠置の大きな目に向き合った。

裏山を駆け降りて、まっすぐに、力いっぱい歩いてきた男の目だと思った。

「これ、何だかわかるかね」

笠置は手元に取り残した異形の骨を、箸の先で示した。

「わかりません」

「咽仏だよ。ほら、仏さんが蓮の台座に座っておるだろう。大内はたいした奴だったから、ご覧の通り咽仏も立派なもんだ。ふつうの男の倍くらいはある」

チーママが男の声で泣き始めた。

「拾いたまえ。さあ」

　雅美は笠置の箸に自分の箸を添えて、マダムの咽仏を拾った。

7

「若い子が二人揃ってやめちゃうっての、ダメージ大きいのよね。ま、仕方ないか。男が恋しくなったらいつでもおいで。面接ぬきで採用してあげる」

　店を引き継いだとたん、チーママには貫禄が備わったような気がする。たぶん、マダムという呼び名も自然に承け継ぐのだろう。

　葬式の翌日から、「お花見祭り」は「マダム昇天祭り」というとんでもないタイトルに変わった。

「ところで、最後のお務めと言っちゃ何だけど、ひとつ頼まれてくれる？」

　チーママは、帯の間から鈴のついた鍵を抜き出して、カウンターの上に置いた。

「悪いけど、帰りがけに西麻布のマンションに寄って、様子を見てきてよ」

「ええっ、何よそれ」

　と、カオルは止まり木から滑り落ちるほど仰天した。

「なあに、大したことじゃないわ。マダムの奥さんとお子さんがね、大家さんに返す前にどうしてもマダムの住んでいた部屋を見たいって言ってるんですって」

「見せればいいじゃないの。女が一緒にいたことにすればいいって、知ったこっちゃないって言ってたくせに」

「それがねえ――」

と、チーママは困惑した。

「よおく考えてみたのよ。あっちがビックリしたり、いやな思いをしたりするのは知ったこっちゃないけどね、あたしが疑われるわ」

ハハッ、とカオルは男声で高笑いをした。

「それこそ知ったこっちゃないでしょうに。亭主が西麻布のマンションでオカマと同棲してたって。わあ、おかしい。もう頭の中がグシャグシャ」

「ちょっと、カオルちゃん。冗談じゃないのよ。お葬式のときも、あたしすごい目で睨まれたんだから」

「誰に？」

「本妻によ。わあ、どうしよう。あたしまで頭の中がグシャグシャだわ。ともかくね、あの婆さんたら、すごい目で睨んで、嫌味まで言うのよ。主人がずいぶんとお世話になっていたようで、って。あれは嫉妬よね」

「で、見に行って、どうすればいいんですか」

「要点その一。お店に関係するものが何かあったら、伝票とか帳面とかね、あたしのところへ持ってきて。いい、『銀花』っていう字の書いてあるものはみんなよ。要点その二。シャネルの十九番があったら捨てて。部屋の外によ」

「何ですかァ、シャネルの十九番って」

「バカね、あんた。あたしがご愛用の香水よ。マダムは香水をつけなかったけど、前にプレゼントしちゃったことがあるの。女っていくつになってもそういう細かいところに敏感なんだから」

冗談めかして言ってはいるが、チーママはあんがい真剣だった。どんな疑惑が生じたところで当の本人がこの世にはいないのだから、問題の起こりようはない。それでもマダムの秘密は守り通さねばならないと、チーママは考えているにちがいなかった。

「やっぱり心配だな。いいわ、今晩お店がはねてからあたしが行く」

鍵を取り戻そうとするチーママの手を、雅美は押さえつけた。

「大丈夫です。ちゃんとやりますから」

酔ったマダムを何度も送り届けたあの部屋を、雅美はもういちど見たいと思った。

「そう。じゃあお願いするわ。あ、忘れてた。要点その三、一番肝心なやつ。現金、貴金属、宝石、等々、金目のものがあったら残らず持ってきて。パクッちゃだめよ」

「ちょっと、チーママ。安く見ないでよ。そんなことするわけないじゃないの」

カオルは憮然として言い返した。同棲していた女がかかわりを避けて雲隠れしたにしても、高価な品物を置いて逃げるのは不自然だ。結局はチーママの懐に収まるのだろうけれど、それはそれで構わないと思う。「銀花」を引き継ぐチーママは、マダムの正当な相続人なのだから。

「なにしろ急な話だからねえ。笠置さんは外国にとんぼ返りしちゃうし、今日の明日って言われても困るのよ。ともかくさっさとお部屋だけ見せて、後のことは知らぬ存ぜぬって言うしかないわ。奥さま、さぞかしショックでしょうから、この部屋の後始末は私がいたしますわ。これも男の甲斐性のうちだと思って、見なかったことになさいましな、オッホッホッ——どう、これで」

「めでたしめでたしだわね、きっと」

ずいぶん野蛮な話だけれど、店を引き継ぐ正念場でチーママのできることといえば、それくらいしかないだろう。

「無理を通せば、道理って引っこんじゃうのよねえ。オカマの人生を地で行けばいいのよ、地で行けばさあ。もう、矢でも鉄砲でも持ってこいって心境だわ。ああ、忙しい」

いらっしゃあい、と大声を張り上げて、チーママは宵の口の客を迎えに立った。

「なあ、マーちゃん——」

タクシーの中で、カオルは急に男声で言った。

「マダム、自殺じゃないのか」

ひとつの仮定として、雅美も考えていなかったわけではない。

「妙な詮索はしないほうがいいよ、カオルさん」

解剖の結果は知らない。チーママは何かを知らされているかもしれないが、仮に死因に不穏な点があっても、カオルや雅美の耳に入れるはずはなかった。

春の雨がフロント・ガラスを叩き始めた。今年の桜もこれで終りだろう。

「ずっと考えていたんだけど、狭心症を抱えていれば、消極的な自殺は可能だと思うんだ」

「聞きたくないよ、そんなこと」

カオルは委細かまわずに続けた。

「季節の変わり目は発作が起きやすいし、深酒と睡眠薬を毎日続ければ、いつかは行っちゃうよ」

「マダム、このところそんなに飲んでなかったよ。ずっと送ってないもの」

「マンションに帰ってから飲めばいいさ。グイグイ飲んで、窓を開けて眠りこければ――」

「やめろよ、カオルさん」

ロッキング・チェアに揺られて、窓辺に拡がる夜景を眺めながら、淋しくブランデーを飲むマダムの姿が目に泛かんだ。

（そろそろ汐時かもしれないわ――）

聞き流していたマダムの口癖が、胸に甦った。

「俺――」

言いなれぬ言葉を口にして、カオルは唇を嚙んだ。

「俺、だからこんな頼まれごとはいやだった。チーママに言われたとき、ドキッとしたんだ。マダムの死んだ部屋になんか、入りたくないよ」

「いいよ、カオルさん。車の中で待っていてくれれば」

「でも、引き受けたからな。いやな思いをするのは、マーちゃんだって同じだろうし」

憂鬱な会話をかわすうちに、タクシーはマンションの玄関に止まった。雨足はいよいよ繁くなった。ネオンサインに彩られた夜空を、低い雲が流れていた。

「カオルさん、横浜に帰るの？」

エレベーターの中で、雅美は訊ねた。

「ああ。久しぶりに電話をしたら、親父のやつ、あんがい喜んでやんの。とりあえず帰ってこいって――そっちは？」

「籍を入れようかと思って」

「へえ。で、何てったっけ、彼女」

「マユミ」

「そうそう。そのマユミのほうは」

「あんがい喜んでやんの。とりあえず結婚しましょうって。考えてみれば、芝居を続けるにしても不都合はないんだよね。アイドルだってさっさと結婚しちゃう世の中なんだから」

マダムの終の部屋を訪ねる緊張を、二人はたわいのない会話でごまかしていた。

「分譲だと思ってたけど、賃貸だったんだ」

「近ごろは賃貸に下ろす分譲が多いんだって。ここもそうじゃないのかな。立派すぎるもの」

十六階の扉が開くと、たしかに賃貸マンションとは思えぬ内廊下が続く。マダムの部屋の玄関には、一戸建てふうの飾り門と小さなアプローチが付いている。

「何だか、ドキドキするな。ええと、要点その一。店のネームの入っているもの」

「要点その二。シャネルの五番」

「十九番だよ」

「そうだっけ。要点その三。金目のもの」

口に出してから、この仕事はどこかおかしいと雅美は思った。

無理を通せば道理が引っこむとかチーママは言っていたが、こんな無理の通し方は不自然だと思う。

暴いたはずの秘密の底に、まだ重大な謎が隠されているような気がしてならなかった。

鍵を開ける手が慄えた。

「マダム、お邪魔しまあす」

お道化てドアを開け、灯りをつけたとたん二人は立ちすくんだ。

「部屋、まちがえた」

「いや、鍵を開けたよ」

「じゃあ、鍵がちがう」

「まちがいないって。マダムの匂いがする」

二人はまったく見ず知らずの玄関に立っていたのだった。靴箱にはブーツやパンプスのかわりに、スニーカーと男物の革靴と、歯のすりへった下駄が入っていた。

緋色の絨毯は、真新しいグレーに替えられている。

おそるおそる廊下を歩き、リビングの灯りをつける。

「どうなっちゃったんだよォ……」

カオルは心細い裏声を上げた。

革の応接セット。テーブルの上には吸いさしのパイプが転がっている。

人形もぬいぐるみも、マダムの趣味に合ったきらびやかな調度も、何もなかった。

窓辺には大きなデスクが置かれていた。本棚には法律や経済の専門書がぎっしりと並べられている。紫色のカーテンはシックなベージュに変わっていた。

寝室に入る。ドレッサーは化粧品とともに消えていた。ピンクのベッドカバーのかかったダブルベッドも、独身男にふさわしいシングルサイズに変わっていた。クローゼットの中は、古ぼけた背広とコートでいっぱいだ。

マダムは完璧な女だったけれど、同時に完璧な男だったのだと——いや、完全な人間だったのだと雅美は思った。

とたんに、こらえようもない悲しみが、胸の奥からつき上がってきた。マダムは嘘を真実に変えて、天国に行ってしまったのだ。覚悟の自殺なのか、死ぬ準備をあらかじめしていたのか、そんなことはどうでもいい。ともかく自らの手で、完璧な舞台の幕をきちんと下ろしてしまった。

「すごい芸よ。すごいよ、マダム」

女声を取り戻して、カオルは清潔な男の部屋を走り回った。

「あたし、マダムのこと一生忘れないから。お医者になんかならなくてよかったよ。マダムと会えたんだから。わあっ、見てよマーちゃん。バスルームに、ブリーフと靴下が干してあるよ。すごいよ、マダム」

チーママはこの部屋を見たのかもしれない。店を巣立つ若者たちに、はなむけの鍵を渡したのだろう。そうにちがいないと雅美は思った。

「ベランダのお花だけ元のままよ。捨てられなかったんだわ、きっと。あたし、ひとつ貰ってく。病院の事務室に飾るんだ」

ベゴニア、インパチェンス、ゼラニウム。マダムは赤い花が好きだった。

兵舎の裏山にも、真夏の赤い花は咲いていたのだろうか。木洩れ日に痩せた背を晒しながら、死に損ねた少年は意固地に生きる方法を考えたにちがいない。もし時を飛び超えることができるならば、蟬しぐれの森を駆け登って、小さな体を抱きしめてやりたいと雅美は思った。

聡明な少年の声が聴こえた。

（教えて下さい。どうすれば自分は、辱めを受けずに生きて行けるのでありますか）

マダムの一生は、およそ考えつく限りの完璧な人生だった。少年は長い時間をかけて、ようやく山を下りてきたのだ。

かがやかしい花園の向こうに、街の灯が夜空を押し上げている。拭い切れぬ涙を拭いながら、雅美はふと指先に触れた咽仏を、愛しいと思った。

トラブル・メーカー

男は窓に額を押しつけて、眼下に広がるグレート・バリアリーフを見つめていた。

「きれいだな。どこまで続いているんだろう」

成田を飛び立ってから、男が口を開いたのはそれが初めてだった。まさか私に訊ねているわけではなかろうと聞き流すうちに、男はもういちど言った。

「ねえ、すごいですね。珊瑚礁（さんごしょう）ってやつですか、これが」

二千キロも続く世界最大のリーフなのだと、私は新聞を読みながら答えた。ブリスベーンまではまだ一時間以上もかかる。オーストラリアは初めてにちがいない隣席の男と、観光ガイドのような話を始めたくはなかった。

「ところで、ずっと気になっていたのですが、その身なりでどうやって成田までいらしたのですか」

ようやく窓から顔を起こすと、男は私を見返って訊ねた。

日本の二月は南半球では夏だから、半袖の上に羽織ってきたコートを空港に預けて旅立つのは常識である。男は冬物の背広の下にウールのベストまで着こんでいた。

「ああ、そうですか。そうですよね、季節が逆なんだ。私はまた、冷えるといけないと思って長袖の下着まで——」

男は言いながらズボンの裾をたくし上げて、厚い肌着を見せた。すりへった靴の踵（かかと）が哀愁を感じさせるようなビジネスマンだった。出張に際してそれくらいの忠告は誰もしなかったのだろうか。

行先はシドニーですかと訊ねると、男はブリスベーンです、と答えた。

この答えには二度面食らった。シドニーなら季節の裏表が逆になるが、北方のブリスベーンは亜熱帯に属する温暖な土地である。ツイードのスーツなど一年中用はない。

「ビジネス・クラスっていうの、快適ですね。これなら地球を一周したい気分です。ずっとデスクワークだったものですから海外出張にも縁がなくって、ツアー旅行のエコノミーしか知らなかったんです。もっともそれだって、ハワイに一度行っただけですけど」

男はシートに沈みこんで、脂じみたメガネの底の目を、幸福そうにしばたたかせた。

「いえ、今回も出張じゃないんですよ。先日退職しましてね。早期退職者優遇制度、ってやつ。つまり肩を叩かれたんです。こういう制度があるけど、使わないかって」

安易な質問をするべきではないと私は思った。隣り合わせたときから何となく感じていた、男の浮世離れした雰囲気や落ち着きのなさや、不安と倦怠の入りまじった表情や物腰に、すべて説明がついてしまったように思えた。

男は勝手に話を続けた。

「早期、と言ったって四十九ですからね。このご時世に仕事なんかありませんよ。で、退職金にプラスアルファーで、一生呑気に暮らせる方法はないものかと考えたんです。そしたらね、ゴールド・コーストにいる倅が、こっちに来いって。物価が安いうえに預金金利が四パーセント以上、中古の家を買った残りの金で悠々自適って――ほんとですかね」

そういう話はたしかに聞いたことはあるし、計算上もまちがってはいないと思うのだが、実行した人間は知らなかった。少くとも、遊んで暮らすという普遍の夢が、それほど簡単なはずはあるまい。

「倅のやつ、高校を中退してブラブラしているうちに、悪い仲間に誘われていなくなっちゃったんですよ。一年に二回、それも親のボーナス時期を見計らって、小遣をせびる電話がかかってくるだけでね。どうしようもない倅ですけれど、サーファーだろうがプータローだろうが、一緒に暮らそうっていうの、可愛いじゃないですか」

ゴールド・コーストは、そうした「どうしようもない倅」の巣窟である。おそらくその倅よりも世の中の悪意を知らず、不器用で呑気者にちがいない父親の未来について、私はあらぬ想像をめぐらせた。

「身軽なんですよ。東京の家は別れた女房にくれてやりましたし、娘もそっち。私には退職金プラスアルファーと、五年も会っていない倅が残ったというわけです。どうです？　この先の選択としては、妥当というか適切というか——いやむしろ、これしかないと言ったほうがいいかな」

男はやや捨て鉢に笑い、ふいに真顔になって窓の外に目を向けた。雲の切れ間を、世界最大の珊瑚礁がゆっくりと過ぎて行く。大きな溜息をつくと、男は問わず語りに話し始めた。

浜中則夫が法務課資料室長という聞き覚えのない役職に配転されたのは、去年の四月のことだった。

まったく寝耳に水の辞令だった。本社経理局の課長職はあらまし後輩たちの世代に替わっていたから、地方営業所か子会社への異動は覚悟していたのだが、法務課という配転先は考えてもいなかった。

第一、法務課資料室などという部署は、三十階建ての本社ビルのどこにあるのかも知らない。内示を受けたとき社内電話帳を調べて、初めてその存在を知ったのだった。閑職にはちがいないが、悪い異動ではないと思った。ともかく、覚悟していた単身赴任だけは避けられたのである。本社の中で同じ課長待遇として動くのだから、まさか栄転ではないが左遷とは言えない。

同期入社の長谷川が、上司にあたる法務課長であることも心強かった。年齢を考えれば、浜中も長谷川もとっくに出世コースからは外れているわけで、その同期生がリストラに兢兢(きょうきょう)とする自分を救ってくれたのだと思えば、まことに頭の下がる気もした。

しかし、お礼のつもりで食事を伴にしたとき、長谷川は妙なことを言った。

「法務課資料室とはいっても、法務課とはほとんど関係がないからな。もちろん俺は何の口添えもしていない」

浜中は長谷川の表情を窺った。相手の立場を考えて、そんな言い方をしているのだろうか。

「関係がない、とは？」

「仕事の上で、ほとんど接触する必要がないということさ。だからフロアだってちがう」

法務課は二十三階にあるが、法務課資料室は地下駐車場の資材倉庫を改装した一室だった。創業七十年の家電メーカーには、データ化できない裁判関係の書類が山のようにあるので、資料室は倉庫同然なのだろう。

「なあ、浜さん」と、長谷川は改まった口調で言った。

「資料室の仕事は何かというと、上司の俺自身、よくわからないんだ。いやたぶん、仕事らしい仕事は何もないと思うんだが——第一、法務課だってちかごろは大した仕事がない。オフィスがコンピュータ化されて以来、裁判になるようなトラブルはなくなってしまったからな」

長谷川の説明には説得力があった。製品の特許に関する問題は、法務課よりはるかに規模の大きい特許課が管掌している。顧客とのトラブルは販売子会社がそれぞれ処理する。数字上の間違いはコンピュータの責任だから、法律問題にまで発展することがない。

「じゃあ、君は実際どういう仕事をしているんだ」

「社員のための法律相談、かな。マンションのローンがどうだとか、交通事故の示談とか、離婚訴訟の相談とか——ほとんど組合の一部みたいなものさ。いっそ厚生課と合併すればいいと思っているんだが」

企業が合理的にシステム化し、家電製品の製造技術が「完成」してしまった今日、法務課は社内の遺物になってしまったらしい。

「俺の前任者は？」

と、浜中は訊ねた。異動に際しては最も気になることだ。

「法務課資料室の定員は三名。ひとりは勤続四十年の独身ＯＬで、今も勤務中。他の二人は入れちがいに退職する。ひとりは定年、ひとりは早期退職制度で——」

「おいおい、何だか姥捨山（うばすて）みたいだな」

「まあ、そう言うなよ。ものは考えようさ。給料をカットされるわけじゃないんだから」

立場は似たようなものだ、とでも言いたげに、長谷川は自嘲的な笑い方をした。

失礼ですが、と前置きをして、浜中則夫は私の齢を訊ねた。飛行機の窓からさし入る夕陽が、くたびれた背広の肩を隈取っている。

「私より三つ下ですね。どこの会社でも同じだと思うんですけれど、あなたの世代が私たちにとって脅威なんですよ。つまり、私たち団塊世代は採用人数が多かった上に、どこの大学もロックアウトで満足な勉強をしていなかった。大学で学ぶことなんて、そりゃたかが知れてますけど、少くとも語学力とか一般教養とかね、やっぱり劣っていると思うんです。組合活動はお手のものでしたから、そのぶん上からは憎まれていましたし。私たちの世代は、労使の協調なんて考えがなかったんです。学生運動の延長で、闘争に意義があると思っていましたから。人数ばかり多くて、使い途がない私らは、出世コースに乗ったごく一部を除いては金食い虫と見做(みな)されていたんです。早期退職者優遇制度というのは、私たちのために考え出されたようなものでした」

男は野卑な声を上げてスチュワーデスを呼ぶと、ビールを注文した。

仕事の引き継ぎは、いっさい行われなかった。

それどころか、浜中は二人の前任者の顔さえ知らなかった。一週間の休暇の後で、身の回りのものを持って地下の資料室に行くと、きれいさっぱり片付けられた二つの机が向き合っているだけだった。

「浜中さん、ですね」

と、濃い化粧をした年配の女子社員が言った。勤続四十年ということは、浜中よりずっと先輩にあたる。顔は知っていたが、言葉をかわすのは初めてだった。

「ああ、ここにいらしたんですか」

妙な挨拶だと思いながら、浜中は自己紹介をした。本社屋に勤務する社員だけで二千五百人もいるのだから、入社以来三十年近くも、顔だけ見知っているという人間は多い。女は鈴木エツ子と名乗った。鈴木という姓は社内に三ダースもいるだろうが、もしかしたら彼女は最古参の鈴木さんかもしれない。

「ええと、業務の引き継ぎをしていないんだけど――」

「そんなもの必要ありません。何かわからないことがあったら、そのつど私に訊いて下さい」

ひとつだけ壁に向いた席につくと、鈴木エツ子は不慣れな手付きでコンピュータのキーボードを叩き始めた。

「インターネット、なさいます？」

「いや、そういう趣味はないんだ」

「だったら始めたほうがいいわ。私も最近やっと覚えたんです。それまでは読書が仕事だったんですけどね」

それにしても、仕事の匂いがまったくしない部屋である。奥深くまで並んだ資料棚には、創業以来の裁判に関する書類や法律書がぎっしりと詰まっているが、それらは整頓されているというよりも、長いこと手を触れられていない様子だった。

「ときどき法務課や特許課の人が判例を調べにきます。あと、顧問弁護士の事務所の人とか。私たちの仕事は、資料の整理と、貸出し返納のチェックですね——もっとも、それだって週に一度、あるかないかですけど」

追い詰められたのだと、浜中は思った。

たしかに、長谷川の言った通り給料が下がるわけではないのだから、この状況に開き直って時を過ごせばいいのかもしれない。しかしここが追い詰められた場所だとしたら、定年までの残る十年を平静に勤めおおせる自信はなかった。

「人事から出向の打診とか、ありませんでしたか?」

鈴木エツ子はコンピュータに向き合ったまま言った。

「あるにはあったけど、はいそうですかといい返事をする者はいないでしょう」

「とすると、いやな顔をしちゃったわけですね。すんなり出ればよかったのに」

「地方の子会社に出向して、苦労をさせられるよりはましでしょう」

「そうかしら——」

と、鈴木エツ子は蔑むような目を向けた。「もしそれが本心だとしたら、うちの人事もまんざら捨てたものじゃないわね。適材適所、ってことになるわ」

そのとき、密閉された地下廊下に足音が谺して、段ボール箱を抱えた人影が曇りガラスの向こうに立った。

「はい、こんにちは」

お道化た挨拶をしながら姿を現したのは、浜中と同年配に見える男だった。これもやはり見知った顔ではあるが、言葉をかわした記憶はない。

「きのうまで休暇をとっていたので——」

と、浜中と男は同時に言った。

まったく同じセリフを、まったく同じ発声で口にしたのだった。一瞬、笑いを嚙み潰して見つめ合い、それからまたまったく同時に挨拶をかわした。

「浜中です、よろしく」

「仙田です、よろしく」

ふいに、鈴木エツ子がけたたましく笑い出した。まるでカスタネットを連打するような、頭の芯に響く笑い声だった。呆然と見返る二人をよそにしばらく笑い転げたあと、鈴木エツ子は息を継ぎながら言った。

「ごめんなさァい。前の人たちとそっくり同じことするから、おかしくなっちゃって。何だか息の合った漫才みたい」

笑いごとではあるまいと思いながら、浜中と仙田は笑い合うよりほかはなかった。

「私と仙田との出会いは、まあそのようなものでした」

と、浜中則夫は話しながら言った。

「べつに、似ているとは思いませんよ。だが客観的には、おかしいぐらいの似たもの同士に見えたのでしょうね。考えてみりゃ当り前です。同じ年の生まれで、採用も昭和五十年の同期生。ただしその年は三百人もの新卒採用がありましてね、とうてい同期の顔など覚えきれなかったんです。しかも仙田は営業職でしたから、新人研修も私とは別だった。それからの人生はそれぞれちがいますけれども、同じ時代を生きてきて、結局は同じ運命をたどった二人は、やっぱり似たものだったのでしょう」

ビールを飲みながら、浜中則夫は聞き手の意思などお構いなしに勝手な話を続けた。反応を窺うでもなく、同意を求めるでもなく、要するに彼にとっての話し相手は、人形でも木偶（でく）でも良さそうだった。

「営業畑を歩いてきたせいですかね、私よりも多少は、男の色気みたいなものはありました。身なりもきちんとしていたし、性格も明るくて如才なかった。私はこの通り、絵に描いたような中年オヤジですけれど、仙田は背も高かったし、そう腹も出てはいませんでしたよ。もちろん年なりに老けこんではいましたがね。正直のところ、私は自分自身のこの風采というのがね、けっこう目ざわりに思われていて、人事に影響したんじゃないかって思っていたんです。ほら、このタイプって、女子社員とか若い連中には、生理的に嫌われるでしょう。だから仙田と会ったとき、とても嫌な気分になったんです。資料室に追い詰められた理由は、そういうことじゃなかったんだと思いましたから――」

浜中則夫は苛立ちをビールで宥めるように、とつとつと話を続けた。

向き合ったデスクを整頓しながら、浜中と仙田は自己紹介のような雑談をかわした。改まった挨拶をするよりも、雑談ふうにそれとなく自分の社員歴やプライバシィを披露し合うことが、この際の正しいマナーにちがいなかった。

「倅は外国に行ったまま、自活し始めちゃってね。ま、よくある話ですけど」

「へえ。それはご心配ですね。ほかにお子さんは？」

「理屈っぽい娘が一人。こっちは今年大学に入って、一段落というところです。家は早いうちに買ったんで、ローンの残債もそうありませんし。つまり、もう野心を抱く必要はないってことです」

「そうですか、お幸せですなあ」

と仙田は手を休めて、眩げに浜中を見つめた。

「仙田さん、ご家族は？」

「それが、チョンガーなんですよ。この齢で」

「――へえ、うらやましいな」

「何がうらやましいもんですか。独身も気楽でいいなんていうのは、せいぜい三十代までですね。この齢になると不自由が多いんですよ」

言いながら仙田は、鈴木エツ子の後ろ姿にちらりと目を向けて、声をひそめた。

「ここに来た理由もね、たぶんそれだと思うんです」

「と、いいますと？」

「そりゃあ室長、考えてもみて下さいよ。僕みたいなチョンガーは、不満の述べようがありませんからね。営業職も長くなると、家族ぐるみの付き合いとか、盆暮の付け届けとかあるでしょう。人員を削減するにあたっては、部長だって担当役員だって、家族のことは考えますよ」

仙田の肩書は、「法務課資料室次長」である。立場上は浜中の部下だが、実質は人員削減によってオフィスからはじき出された二人の課長職を、とりあえず地下の資料室に閉じこめたのだった。

窓のない壁や天井をぐるりと見渡して、仙田は溜息をついた。

「ここがブルペンだといいんですがねえ。何だかそうは思えない」

当面のところ居場所の決まらぬ人材を控えさせておくブルペン、という意味だろう。

むろん浜中にも、ここがそういう結構な場所であるとは思えなかった。もし仮に、いつの日か登板のチャンスがめぐってきたとしても、そのときにはすっかり筋肉も落ち、肩も上がっているだろう。

「あんまり希望的観測はせずに、おたがいのんびりしましょうや。今まで身を粉にして働いてきたんだから」

慰めとも励ましともつかぬ苦肉の言葉を口にすると、鈴木エツ子の背中が笑った。

「いちおう、歓迎会みたいなの、やります？　何だか気がすすまないけれど、儀式でしょ、それって」

浜中も気はすすまなかったが、儀式だけはすませておかねばならないと思った。

ビールをさかんに飲みながら、浜中則夫は続ける。

「儀式って、わかりますかね。つまりそれをすませておかないと、何か祟り(たた)のようなものがあると困るのでね、ともかく形だけでもやっておこうというわけです。会社が大きくなればなるほど、こういう儀式はおろそかにできないんですよ。歓送迎会でしょう、社員旅行でしょう、同期会でしょう。ほかにもいろいろあります」

タタリ、ですか？——と私は訊き返した。

「そう。欠席したからといって、たぶん何も起こらないですよ。でも、おろそかにすると何か起こりそうな気がするっていうのが儀式ですね。だからみんな、面倒臭いと思いながらも参加するんです。大企業というのは、そういう原始習慣がきちんと生きている社会なんですよ。神の存在も福音も祟りも、すべて人間が造り出した幻想にはちがいないんですけれど。神主も氏子もちゃんといるんです。つまり、言い出しっぺと、それに賛同して儀式を仕切る人たちです。会社には、生産的な仕事は何ひとつできなくても、この神主役で食っている——すなわち存在価値を認められている人間だっているんです。いわゆる名幹事というやつ」

生涯にわたる生活共同体という意味で、大企業は「村」であるのかもしれない。だからこそ会社が大きければ大きいほど、生活の場を確認し合う「儀式」が必要なのだろう。

ムラ、ですね——と私は言った。

「そうそう。まったくその通りです。ともかくこの村にしがみついていれば、一生食うには困らぬという。だから、べつだん何の意味はなくても、お祭りだけはしなくてはならないんです。あの晩、三人だけのささやかな歓迎会をやったとき、ああ、これは儀式なんだなとはっきり思いましたよ。このさき何年も、暇な地下室で暮らさねばならない三人が、改まってよろしくなどと言う必要は何もないんですからね。だが、なおざりにしてはならない儀式だから、とり行うほかはない」

爆音に耳を澄ませるようにしばらく目を閉じてから、浜中はその夜の出来事をこと細かに語り始めた。

「さすが営業よね。座持ちの良さには感心するわ」

胸の悪くなるような香水の匂いをふりまきながら鈴木エツ子が耳元で囁いた。

長いなじみらしい銀座のクラブを二軒回ったあと、仙田は六本木のカラオケバーに二人を連れて行った。

「仙田君、飲み代を営業に回すっていうんだけど、大丈夫かな」

「昨日までは営業八課の課長だったんだから、そのくらい何とでもなるでしょう。請求書の日付をずらすとか、引き継ぎの残務でクライアントを接待したとか」

夜の街に出たとたん、仙田は水を得た魚のようになった。仕事帰りに居酒屋で愚痴を言い合うか、ナイター中継を見ながら晩酌をするほかに酒の飲み方を知らぬ浜中にとっては、それなりに楽しい一夜である。鈴木エツ子もその点は同じであるらしく、酒のすすむほどに表情は若やいでいった。

時刻は午前一時を回っていた。仙田はマイクを放そうとせず、このままでは終りがないような気がする。ただし、接待で鍛え上げた歌は、聞きあきぬほどうまい。

「浜中さん、一曲歌いなさいよ」

と、鈴木エツ子が強いるような言い方をした。仙田からマイクを取り上げなければきりがない、ということなのだろう。

歌には自信がない。レパートリーは経理課の慰安旅行用に仕込んだものが、三曲あるきりだった。そのうちの一曲を披露して、お開きということにしようと浜中は思った。

「仙田さん、ほら、ひとりで乗ってないで、室長にマイク」

間合いよくエツ子が声をかけると、仙田はボックスから立ち上がって、司会者に変身した。

「ではみなさん、われらが浜中室長が歌います。ええと、曲目は？」

「サン・トワ・マミー」と、浜中は小声で言った。

ボーイが別のマイクを持ってきた。モニターがパリの風景を映し出す。浜中はマイクを拝むように握って、慣れぬ歌に挑んだ。

と突然、浜中の不器用な声に、仙田の歌声が被いかぶさった。興に乗ったデュエットなどではなかった。浜中はじきに、悪ふざけを通り越した悪意を感じて、マイクを口元から離した。

「何よあの人。マナーが悪いわね」

エツ子も呆れて言った。

「酔っ払ってるんだろう。勝手にやらしとけ」

歌を奪われて不愉快になったわけではなかった。ささやかだがなおざりにしてはならぬ儀式を、仙田は踏みにじったのだ。

拍手の中で一曲を歌いおえると、仙田はボーイを呼んで名刺を渡し、そそくさと立ち上がった。

「さあ、ぼちぼちお開きにしましょう」

仙田が請求書の送り先として差し出した名刺は、前職の営業八課長という肩書のものにちがいない。そういう芸当は営業職の特権だし、資料室の名刺はまだ刷り上がってきてはいなかった。

考える間もなく押しこまれたエレベーターの中で、浜中は訊ねた。

「まずいんじゃないか。いくら何でも三軒分の勘定を営業に回すなんて」

仙田は親しげに浜中の肩を抱きかかえた。

「だいじょうぶ。後任はね、僕に文句を言えるはずないんです。こういう経費の落とし方から何から、ぜんぶ僕が手とり足とり教えたやつなんだから」

危うげに体を揺らしながら、仙田はパスケースの中からタクシー・チケットを取り出した。

「はい、これは室長。これは鈴木女史。サインだけしてドライバーに渡して下さい」

「おいおい、これはまずいぞ。返納してないのか」

「返納？——なに言ってるの。二十七年も営業やって、クビになった翌(あく)る日から終電で帰れなんて、そりゃないでしょう。だいじょうぶ、だいじょうぶ。何ならハイヤー呼びましょうか」

仙田は執拗にチケットを押しつけた。

「そこまで言うんなら貰っておきましょうよ、室長」

エッ子はチケットをつまみ取ると、浜中に囁いた。「仙田さん、頭にきてるのよ。ま、無理もないけど」


「そのときから仙田の人格を疑ってかかればよかったんですがね」

と、浜中則夫は悔いるように息をついた。

「簡単に考えすぎていたんです。突然の配転については私だって頭にきていなかったわけじゃない。ましてや花形の営業課長から急転直下に追い落とされた仙田の気持はよくわかりましたから」

窓の外が白く濁り、機体は小刻みに揺れ始めた。機内放送が、シートベルトを装着するようにと告げた。

「心配ないですか」

浜中は不安げに訊ねた。スコールの中に入ったんでしょう、オーストラリアは雨季ですから、と私は答えた。

震動がいくらかおさまってから、浜中はほっとしたように話し出した。

「退屈な日々がしばらく過ぎたころ、私の後任から電話が入りましてね。浜中さん、すまないけど経理まで来てくれと。かつての部下から呼びつけられるのはいい気持がしなかったし、ましてやこの間まで自分の座っていたデスクですからね。で、お前も偉くなったなと嫌味を言いますと、いや、こっちから出向くことのできない事情がある、すみませんけどお願いします、と――」

再びスコールの雲の中に入ると、機体は軋みをたてて弾んだ。浜中はシートの背を起こし、ベルトをきつく締め直した。

「出向くことのできない事情というのは、話が仙田に関係あるのだろうと思いました。あの晩の飲み代のことだろう、とね。案の定でしたよ。経理課に回ってきたタクシー・チケットに私のサインがあって、同じ日付で銀座のクラブと六本木のカラオケバーの請求書が届いている。こうなると当日の筋書は容易に想像できるわけです。しかもまずいことには、伝票が営業部長の目に触れてしまった。不正行為というよりも、仙田が腹いせにそんなことをしたのだろう、仙田も許し難いが、それに同調した室長の私は断じて許せん――というわけで、これから営業第一部長のところへ行って、詫びるなり釈明するなりして下さい、と後任の経理課長は言うんです。いやァ、正直のところ青ざめましたよ。営業第一部長というのは私の二年先輩で、次の人事では役員当確という実力派でしてね。こっちは徳俵いっぱいで職場に踏みとどまっているようなものですから――」

営業第一部の応接室には、顔付きだけでも威勢を感じさせる部長と、かつての上司である経理局長が待ち構えていた。

「まあ、お座んなさい」

頬を引きつらせるほど怒りをあらわにして、営業部長は言った。経理局長は微笑んでいるが、それは感情とは関係のない地顔であることを、浜中は知っている。事態は深刻である。

テーブルに件の伝票類を並べながら、営業部長は強い語調で言った。

「仙田のバカタレの仕業だということはわかっている。だが、責任は上司である君だぞ。浜中君、とかいったな」

はい、と背筋を伸ばすほかに、浜中はとっさの弁明すら思いつかなかった。

「浜さんよォ」と、経理局長が情けない声で呼んだ。

「お前さん、二十何年も経理で何やってたんだよ。こんな伝票、通るわけがないだろう。嫌がらせじゃないか、まるで」

経理局長は役員だが、営業部長の威勢には頭が上がらぬというふうである。

ことの顚末は明白だった。仙田の後任は不正経費の処理をしようとはせず、ありのままを上司の営業部長に訴え出たのだった。

二人がかりの長い説教のあとで、営業部長はまるで刃物を突きつけるように言った。

「この際はっきり言っておくけどな。各部局には、早期退職者の割り当てがあるんだ。仙田は立派な対象だったよ。ところがその通告をするとだな、奴はほれ、そのソファから滑り落ちるみたいにして、土下座したんだ。それだけは勘弁して下さい、異動は覚悟していますから、ってな」

だからどうだというのだ、と浜中は胸の奥で呟いた。

部長は意味ありげに、上座の椅子で不敵な微笑をうかべている経理局長を見た。要するに君も同じ立場だったのだよ、と浜中を見返った経理局長の姑息な目は言っていた。

「君らが資料室にとどまることができたのはな、ラッキーなんだぞ。だが、助かったと思うのは大きなまちがいだ。こんな不祥事が人事の耳に入ったら、君らの上司の長谷川課長に圧力がかかる。法務課資料室が合理化人事の盲点になっているということを忘れるな」

脅しにはちがいないが、嘘もハッタリもなかった。会社が推進しているリストラ計画の要点は人員の削減と非生産的な資産の整理売却で、職場の統合や廃止は考えにない。つまり、本来ならば削減されるべき人員を、リストラの死角になっているセクションに異動させることは、直属上司の恩情にちがいなかった。

「私は何も、君を追い詰めたわけじゃないんだよ、浜さん」

と、経理局長は老いた瞳をしばたたきながら、気の毒そうに言った。

「申しわけありませんでした。以後、気を付けます」

「そうそう、それでいい。いずれ戦が終わればだね、防空壕から出られる日も来るさ。こういうご時世には、じっとしているのが一番なんだ」

まるで命乞いのような詫びをいくどもしたあとで、浜中は応接室を出た。

後を追ってきた後任の経理課長が、あたりを憚りながら囁いた。

「あのね、浜中さん。さっき部長から聞いたんですけど、例の仙田という人、ちょっとヤバそうですよ」

「ヤバい？」

階段の途中で浜中は立ち止まった。

「ええ。営業部では、トラブル・メーカーという綽名がついていたそうです。仕事はそこそこにできるらしいんですけど、ともかくトラブルが多くて、そのたんびに営業一部から四部までたらい回し。地方営業所や海外に出されても、また何かしらトラブルを起こして、とうとう去年から第一部長のお預りということになっていたらしいんです」

「お預り、か」

「ええ。いちおう営業八課長という肩書はあったんですけど、八課は部長の直轄部隊のようなものでね、つまり仙田さんは部長の秘書みたいなものだったらしい。というより、お前は何もしなくていいから、ともかくトラブルを起こすな、っていう」

「何だよ、そのトラブルって」

「さあ。そのあたりは部長も具体的には――」

仙田は得体の知れない男である。落ち着きがなく、口数が多くて鬱陶しい。初めのうちは、営業一筋に歩んできた人間はこういうものなのだろうと話し相手にはなってやったが、このごろでは辛抱強いたちの浜中もいささか閉口していた。するとその気配に気付いたものか、外出が多くなった。行先も告げずに席を離れるのはいいことではないが、さしあたって仕事はないのだから、べつだんの支障はない。

法務課長の長谷川なら、仙田をめぐるトラブルを知っているかもしれないと浜中は思った。今回の不祥事が耳に入っているかどうかはわからないが、とりあえず頭を下げておく必要もある。

浜中はその足で法務課を訪ねた。


「長谷川は知っている限りのことを教えてくれたんです。なぜ前もって言っておいてくれなかったんだと、私は怒りましたよ。だって、そうでしょう。給料は同じだけれど、私は室長で仙田は次長なんですから、部下にはちがいないんです。仙田が過去に巻き起こしたトラブルのいくつかでも知っていれば――いや、具体的な内容が個人のプライバシィにかかわるのであれば、詳細は聞かなくてもいい。トラブル・メーカーだということだけでもわかっていたのなら、あの歓迎会の不祥事だって起こさずにすんだのですからね」

話しながら浜中則夫は、興奮をあらわにした。

コーヒーかお茶にしたほうがよくはないですか、と私はたしなめた。

「べつに酔っちゃいませんよ。だが、酔った上での放言だと思われるのも何ですから、そうしておきましょうか——スチュワーデスさん、ワン・ホット！」

周囲を振り返らせるような大声で、浜中はコーヒーを注文した。

「まあ、聞いて下さいな。法務課が相談を受けたり、あるいは察知していたトラブルだけでも、ちょっと想像を超えるというか——仙田という社員は世にも珍しいトラブルの宝庫だったんです。まず、借金。何にどう使うんだか知らないが、銀行のフリーローンやらサラ金やらに天文学的な借金がありましてね、とうとう一年前に自己破産したっていうんです。一流企業に勤めていて、そんなことが可能かと思われるでしょうけれど、破産法というのは便利なもので、これができるんだそうです。次に女。その内容たるやまことにたちが悪い。男女雇用機会均等法以来、どのオフィスにも優雅なハイミスがいるでしょう。金はあるけど男がいないっていう。それを手当たり次第、片っ端から食っちゃうんです。独身の四十男、しかもジジむさくはないし座持ちがいい。これはモテますよ。もちろん自由恋愛は構わないんですけど、仙田の奴は女から金を引っぱり出して借金の穴埋めをするもんだから、当然トラブルになる。とうとう被害者の一人が自殺未遂をやらかし、遺書のかわりにうらみつらみを社内メールであちこちに送りつけた。それをきっかけに被害者たちの匿名ホームページまでできる始末で——もうひとつ、経費の濫用。そりゃああなた、いくら最前線の営業課長職だって、バブルの時代ならいざ知らず、夜な夜な銀座の高級クラブを飲み歩いたんじゃ問題にもなります。そんな具合ですから、めまぐるしく異動させられるのも当然なのですが、行く先々でトラブルを起こした末、とうとう親分の第一部長にも匙を投げられた、というわけだったんです」

　なるほど、トラブル・メーカーとは言い得て妙である。

　話を聞きながら、仙田という男の常軌を逸した無法ぶりにも舌を巻いたが、むしろそのことより、仕事に忠実である限りそうした無法者の共存が許される環境のほうが、私には信じ難かった。一流企業という「村」は、どうやら思いのほか生ぬるいものであるらしい。あるいは無法者の存在を許容することで、誰もが自らの存在を保障されているとでもいう、一種の生態系の仕組のようなものがあるのだろうか。

　思った通りを口にすると、浜中則夫はハハッと声を立てて笑った。

「うまいことをおっしゃる。そう、いわば壮大なる馴れ合いの社会ですな。もっとも、人間だって獣にはちがいないのですから、生き延びるためのそうしたバランスを保とうとするのは、自然の摂理というやつでしょう。ところが——われわれの世界に不景気という名の巨大な外敵が出現した。群を維持するためには、馴れ合いの絆の一部分を断ち切って、犠牲を払わねばならない。自然の摂理である馴れ合いの輪から弾き出されるというのが、リストラの非情さですな」

　雲が晴れ、機体は少しずつ高度を下げ始めた。熱帯雨林が窓の外に視認できる高さになると、浜中則夫は、話の先を急いだ。

「長谷川からそのことを聞いて以来、私は仙田が怖ろしくなった。爆弾を抱えているようなものですからね。奴が何かしら決定的なトラブルを起こし、上司である私が責任を追及されたとしたら、そのときつきつけられるものは退職勧告ですよ。むろん、できる限りの指導はしました。ともかくわれわれは一蓮托生の仲なのだから、まちがいを起こさないようにしてくれ、とね。自腹を切って飲みにも連れて行きました。いくらかは金も貸しました。今から思えばまったくつまらぬ懐柔策でしたけれど、入社以来デスクワークしか知らず、厄介な部下を持ったためしもない私にしてみれば、他に方法は思いつかなかったのです」

手に負えない相手ですね、と私は言った。

功罪というものとはたぶん無縁な、そしてその無効無害ゆえにリストラの対象者とされたにちがいない浜中則夫からすれば、仙田という男はまったく手に負えない相手だった。

熱帯雨林をぼんやりと見おろしながら、浜中は低い声で言った。

「そのうち、こんなことを考えたんです。いや、気付いたと言ったほうがいいかな。もしかしたら、これは罠（わな）じゃないか、って」

罠？――不穏な言葉に、私は思わず身を起こした。

「私の知る限り、早期退職者制度に従って辞めた人間はほとんどいない。だが第一部長は、営業部にも経理局にも、その割り当てがあるのだということを言っていました。だとすると――私と仙田はその対象から免れたのではなく、実は依然としてその対象者なのではないか、とね。つまり両部局から選抜された二人をいったん地下の資料室に閉じこめ、退職勧告を受け容れざるを得ないような事態が、何らかの形で惹き起こされるのを待つというような——」

まさか、考えすぎでしょう、と私は言った。

「そうかな……」

浜中は首をかしげて微笑んだが、脂じみたメガネの底のまなざしは、どこかしら確信に満ちているようだった。

で、そういう事態は起こってしまったのですか？——

「あなた、ちかごろ少し変よ。会社で何か心配事でもあるの？」

夕食のテーブルを囲みながら、妻からいきなりそう言われたとき、浜中はまるで悪事が露見したようにしどろもどろになった。

十分な夏休みをとることができたのは入社以来初めてだったが、十日間のほとんどを家の中で寝て過ごした。明日は出社という前夜になって、化物のような不安にとり憑かれたのだった。

「べつに——」

「新しいお仕事、勝手がちがうのかしら。忙しいの？」

職場での出来事を家庭の話題にしたためしはない。もっとも経理職は単調すぎて、話の種にすらならなかったのだが。

自分のいない間、仙田が何かとてつもないことをしでかしていそうな気がしてならなかった。地下の資料室には、二人の男とは没交渉を決めこんで一日じゅうコンピュータと向き合っている鈴木エツ子がいるきりである。仙田にとって自分の存在は多少なりとも枷（かせ）になっているはずだから、何かトラブルを起こすとしたらこの休暇中だという気もする。

変わったことがあったら電話をしてくれと言ってあるが、定年を間近に控えたエツ子は、ハイハイと老女らしい生返事をしただけだった。

「おにいちゃんのことなんか、考えたってしょうがないよ。ゴールド・コーストってさ、ドラッグとコカインの無法地帯だって。今ごろ廃人だよ、きっと」

うるさい、と浜中は娘を怒鳴りつけた。

妻と娘は怯（ひる）むどころか、蔑むように浜中を見つめた。

「子供に当たることないじゃないの。そんなにストレスが溜まってるのなら、お休みの間どこへでも行ってくれればよかったのに」

家族との対話は年々減って行く。断絶とまでは言わないが、愛情が動物的な習性に変質しているのは確かだ。

「ピアスだけはやめろと、あれほど言ったろう」

テーブルにグラスを叩き置いて、浜中は娘を睨みつけた。

「だったらそのときに言えばいいじゃん。一ヵ月もたってから何で怒るのよ。バッカじゃないの。ごちそうさま」

娘は携帯電話を握って、リビングから去って行った。

「何があったか知らないけど、いいかげんにしてよ」

食事を中途でやめて、妻もキッチンに消えた。

やはり断絶というべきかもしれない。日常生活に必要な会話のほかに、コミュニケーションと呼べるものは何もないような気がする。

水を使う妻の後ろ姿に、何気なく目を向ける。

浜中より五つ齢下だが、容貌は衰えるどころか齢なりの魅力を保っている。にもかかわらず、その妻に少しも欲望を感じなくなったのはどうしたことだろう。この矛盾の合理的な解答はただひとつ——自分が男性を喪失してしまったということだ。

同じ年齢でありながら、青春時代そのままの自由奔放な日々を送る仙田に、浜中は一頭の牡として脅威を感じていた。

いつか遠からず、仙田に食い殺されるような気がしてならなかった。

ブリスベーンの上空で、機体はしばらく旋回した。

機内放送によれば、先ほどのスコールの影響で滑走路が混み合っているという。

「倅が空港まで迎えにきているんです。とりあえずはアパートに居候して、じっくり新居を探そうと思っています。二千万あればゴールド・コーストの郊外に、プール付きの家が買えるとか言ってましたけど。計算上は残りの金で、一生優雅に暮らせるはずなんですよ。でもまあ、やはり働き口は探さなけりゃいかんでしょうな」

お子さんのほかに誰かお知り合いはいるのですか、と私は老婆心を起こして訊ねた。

「まったくいません。ずいぶん呑気なようですけど、英語も日常会話ぐらいでしたらしゃべれますし、国際免許も取ってきましたしね。あと、コンピュータはけっこういじれますから、食うぐらいは何とかなるでしょう。ふしぎなもので、会社を辞めてオーストラリア行きを決心したとたんに、四十九歳という年齢が妙に若く思えるようになりました。それだけ会社の仕組に呪縛されていたということでしょう」

輝かしい未来に思いを馳せるように、しばらく窓の外を眺めてから、浜中は唐突に話の続きを始めた。

「仙田が惹き起こしそうなトラブルというのは、私なりに何通りもシミュレーションしていたのです。吉事は予想できても、凶事というものはまったく予測のつかないものですな。なぜかと言うと、幸福の形はだいたい決まっているけれど、不幸の形というのは無限にありますから。それにしても愕いた。もっとも、トラブル・メーカーと異名をとった男の、いわばファイナル・ステージですから、そのポテンシャルの大きさといったらあなた、人間わざとは思えませんでしたよ」

飛行機が着陸態勢に入った。私は話の先を浜中に督促しなければならなかった。

「まあ、そう慌てず。結末はアッという間の出来事でしたから。休暇をおえて私が出社しますとね、その翌日から入れちがいに、仙田と鈴木女史が十日間の休暇をとったんです。そもそも仕事がないのですから、誰が、いつ、どのくらい休んでもいっこうに支障はない。むしろ二人同時に休んでもらったほうが、私としてはのんびりできます。ところが——」


「室長、ここだけの話ですけど、あとでどうこう言われるのはいやだから、いちおうお耳に入れておきます」

帰りがけに鈴木エツ子は言った。濃密な化粧にファンデーションの上塗りをしながら、心なしか表情が若やいでいる。

「私ね、仙田さんと沖縄に行ってきます」

とっさに浜中は、椅子から腰を浮かせた。

「冗談だろ……」

「いえ。室長の休暇中に、二人で飲みに行ってね、口説かれちゃったんです」

「口説かれた？——沖縄に行こう、ってか」

「いえいえ、そうじゃなくって。私の後ろ姿に惚れたんだそうです。ずいぶん失礼な言い方ですけど」

「それで？」

冗談ではないとすると、その先は怪談だった。

「帰さないって言うから、私のマンションに連れて行って、一緒に寝ました」

「寝た、とは？」

「寝たんですよ。男と女が、まさかシリトリをしながら眠るわけないでしょ」

浜中はエツ子の髪が黒々と染められていることに気付いた。仙田についての情報を鈴木エツ子の耳に入れておかなかったのは、たいへんなまちがいだった。だが、結果としてもたらされたこの事態は、神様でも予測しえなかったろう。

「それからずっと私のマンションに居ずっぱりなんです。で、休暇を一緒にとって沖縄に行こうってことになりました」

むろん、止める権利はない。すっかり回春してしまったエツ子に、今さら仙田の悪行三昧を語るわけにはいかなかった。

「婚前旅行、っていうんですか。考えてみれば、働くだけ働いて、定年になった後で専業主婦に収まるっていうの、すごく自然ですよね。そうは思いませんか、室長」

「仙田はどこにいるんだ」

と、浜中は怒りを噛みつぶしながら訊ねた。

「私のマンションで荷造りをしてます。案外マメなんですよ、あの人」

鈴木エツ子が心からの愛情をこめて「あの人」と言ったとたん、浜中は強い吐気を感じた。

まさかベッドの上で絡み合う二人の姿を想像したわけではない。それは人間の想像力の限界を超えている。思い描くことのできぬ姿であるからこそ、仙田という男に対する恐怖心ばかりが膨らんで、胸が悪くなったのだった。

「鈴木さんは、仙田のことをどの程度知っているのかな」

なるべく平静を装って浜中は訊ねた。

「室長よりは知っていると思いますよ。何しろ勤続四十年のお局さまですからねえ」

エツ子の嗄れ声は自信に満ちていた。むろん、自信などあろうはずはない。精一杯の虚勢を張ってでもいなければ、女の幸福を手に入れる最後の機会は失われると考えているのにちがいなかった。

「知らんぞ、俺は。旅行の件も聞かなかったことにしておくよ」

「室長にご迷惑はおかけしませんわ」

浜中はなすすべもなく、気の毒な老女を見送るほかはなかった。

地下駐車場に続く細い通路を、鈴木エツ子はまるでブライダル・ロードを行く花嫁のように誇らしく歩み去って行った。

飛行機は灼熱のブリスベーン空港に着陸した。

ドアが開いたとたん、湿気を含んだ南国の風が吹き入って、浜中則夫は顔をしかめた。

「やあ、このなりではたまったもんじゃないな。とりあえず着るものから揃えなくちゃ。妙な話ですがね、ほとんど身ひとつなんですよ。面倒臭いもんで、離婚をするとき何もかもそっくり置いて出てきたんです。あとは勝手にしろって」

重い足どりで歩く浜中を、エコノミー・クラスの客が追い抜いて行く。急がないと入国審査に時間がかかってしまいますよ、と私は浜中の背を押した。

「べつに急ぐ必要はありませんから。どうぞ私に構わず先にいらして下さい」

そう言われても、話の結末を聞かねばならなかった。息子が迎えにきているのだとすると、私に残された時間は通関を抜けるまでということになる。

「仙田の奴がどんな手練手管を用いて鈴木エツ子を口説いたのかは知りませんよ。そんなこと、考えたくもない。目的はただひとつ、彼女の財産でしょう。定年までを勤め上げた独身の女子社員なら、大金持ちに決まっていますからね。退職金だって半端な額じゃありませんよ。十月に定年で辞めたら、結婚するのだと二人は言っていました。ただし——外聞というものがあるから、このことは室長ひとりの胸に収っておいてくれ、と」

入国審査の列に並んで、浜中則夫は話の先を続けた。

この件を法務課長の長谷川に相談すべきかどうか、浜中は迷った。どう考えても、仙田の目論見は明白なのだ。だが結婚が履行されるのなら、結果がどうあれそれは犯罪ではない。

社内での二人の様子には何ひとつ変わったところがなかった。一緒に出勤し、手弁当を分け合う二人の姿を見ているうちに、もしかしたらこれは祝福すべきことなのかもしれないと浜中もいつしか思うようになった。

一ヵ月余りの蜜月を地下室で過ごした後、鈴木エツ子は定年退職の日を迎えた。

エツ子が勤務している間は、狭い資料室の中で二人の行く末について訊ねることも語ることも禁句だったが、その片方がいなくなってしまうと、話題にのぼせぬのはかえって不自然である。

「ところで、鈴木女史とはどうなっているんだね」

エツ子のいなくなった翌朝、茶を淹れながら浜中は訊ねた。

「ああ——報告が遅れて申しわけありません」

「いいよ、べつに。プライベートな話なんだから」

「とりあえず近いうちに籍を入れようと思ってるんです」

浜中は胸を撫で下ろした。これは椿事でこそあれ、事件ではない。

「いいなあ。これで君も悠々自適じゃないか。仕事はのんびりしたものだし、極楽人生ってやつだな」

嫌味を言ったつもりはなかった。だが茶を啜りながら、仙田は不快そうに浜中を睨んだ。

「あのねえ、室長。実は先日、長谷川課長に呼ばれたんですがね」

「ああ、そうだったな。何の話だったの」

「いい話ならば報告していますよ」

浜中は胸騒ぎを覚えた。長谷川は何も知らないはずである。もしどこかから二人のことを洩れ聞いていたとすると、自分の立場はないと思った。

「俺は何も言っていないよ」

「そのことじゃないんです。たしかに長谷川さんは何も知らないようでした」

その先を口にするべきかどうか、仙田はしばらくためらった。

「室長は何も言われてはいないですよね」

心当たりはない。夏休み以来、浜中はつとめて長谷川と顔を合わせることを避けていた。

「実はですね。肩を叩かれちゃったんです。来年の組織改編で資料室は廃止するから、早期退職者優遇制度を利用してくれ、って」

まったく寝耳に水だった。組織改編などという話は聞いたこともない。

浜中は空とぼけて答えた。

「ああ、ここを廃止するかもしれないという噂は耳にしていたがね。決まったのかな。だとしても、辞めろ、というのはひどいね」

おおよその察しはついた。資料室に金食い虫が三匹棲んでいることを、人事が察知したのだ。いや、この地下室は三匹の虫をとりあえず飼っておく檻なのかもしれない。三匹のうち一匹が定年となった今こそ、処理をするチャンスだと人事は考えたのだろう。

「室長はいいよな。長谷川さんと仲がいいんでしょう。僕は彼のことをよく知らないし、人事からも目を付けられているからね」

「そんな人間関係なんて、何の意味もないさ。たぶん法務課で引き取ることのできる枠が一人分しかないんだろう」

思わず口に出してから、しまったと浜中は唇を噛んだ。仙田の耳には非情な言葉に聞こえたはずだった。

「二人のうち一人が生き残るってことかい、浜中さん」

仙田は上目づかいに浜中を睨みながら、強い口調で言った。

「身も蓋もないこと言うなよ」

「だって、そういうことだろう」

絡みついてくる仙田の態度に、浜中は怒りを感じた。少くとも、自分はトラブル・メーカーではない。地味な職場を歩いてきたが、トラブルを起こさないことが何よりの勲章だったのだ。お前と一緒くたにするな。

「早期退職もひとつの選択だろう。結婚はいい機会じゃないか」

言いながら、なぜこの男はこれほどまで会社に固執するのだろうと思った。

「やっぱり、あんたもそう思っていたというわけか。善人ヅラして、あんがい汚いんだね——よしわかった、そっちがその気なら俺も遠慮はしないよ」

と、憎しみのこもった捨てゼリフを吐いたとたん、まったく突然に仙田は元通りの如才ない表情に戻った。

「いやァ、冗談、冗談。それもそうですよね、ちょっと考えさしてもらいます。何だかほら、会社を辞めたとたんに人間じゃなくなるような気がするじゃないですか。だから、考えるよりも恐怖ばかりが先に立っちゃってね」

荷物のピックアップを待ちながら、浜中則夫はたぶん仙田という男の口ぶりを真似て、声高に笑った。

「正直のところ、軽佻浮薄を絵に描いたような、いいかげんな男だと思っていました。だからかえって、一回りも齢上の鈴木エツ子と結婚すれば、あんがいうまくやって行くんじゃないか、とね」

コンベアからつまみ上げた浜中の手荷物は、機内にも持ちこめそうな小さなボストンバッグがひとつだけだった。

他の荷物は送ったのですか、と私は訊ねた。

「いえ、さっきも言ったように、身ひとつで家を出てきました。バッグの中味はね、下着と、両親の位牌だけです。見ますか？」

いやけっこうです、と私は今にもバッグの中味を開陳しそうな浜中の腕を摑んだ。そのしぐさは、まるですべてを捨ててきたことを誇らしく思っているとでもいうふうだった。

「暑いですな、それにしても」

浜中はようやくウールの背広を脱ぎ、車寄せから射し入る南国の光に目を細めた。

ところで、どうしてお辞めになったのですかと私は結論をせかせた。

「そこまで話さなけりゃなりませんかねえ」

当り前ですよ。

「見ず知らずの人に、ですか？」

その見ず知らずの人間に話しかけてきたのは、あなたのほうじゃないですか。

「やれやれ――」

と、浜中は禿げ上がった額の汗を拭った。

「以来、仙田は退職の肚をくくったふうでした。ところが数日して、鈴木エツ子と結婚するのはやめた、と言い出したんですよ。あのババアすっかり女房気取りになりやがって、と悪口雑言。そんなこと、知ったこっちゃないですよね。つまり鈴木エツ子はこと金銭にかけてはガードが堅かったということなのでしょう。相手はともかく、君ももう若くはないんだからチャンスがあれば身を固めたほうがいいよと、忠告はしておきましたがね。すると奴は、また険のある目でジロリと私を睨んで、ハイハイ、お説ごもっともでございます、ちかぢかそうさせてもらいますよ、むろん会社を辞めるつもりはありませんしね、と謎めいたことを言ったんです」

ロビーから出ると、よく乾いた風が私たちを包みこんだ。輝かしい光の先に、見知らぬ南洋の花の咲き誇る花壇があり、その縁に真赤なオープンカーが止まっていた。

「おおい、ケンちゃん、こっちこっち！」

浜中は荷物を放り出して両手を振った。

運転席から陽に灼けた長身の若者が降り立った。人相の悪い、いかにもドラッグで日々を送っているような、荒れすさんだ顔だった。

助手席にも、リアシートにも、同じような顔付きの若者が乗っていた。

「あんた、おやじの知り合いかよ」

歩み寄りながら、浜中の息子は私を睨みつけた。

「ふうん。なら関係ねえじゃん」

息子は荷物を拾い上げると、ビーチサンダルをペタペタと鳴らしながら車に戻って行った。

「グズグズするなよ、みんなでおやじのこと迎えにきてくれてんだぞ」

この父親の知れ切った明日を、他人の口から忠告するのはお節介というものだろう。

「そうそう、話の結末ですけどね。けっこううまく行っているみたいなんですよ。だからもうそれでいいと思って」

え？　と私は浜中の目を覗きこんだ。

「つまりですね、女房も私なんかより奴のほうがいいって言うし、娘も、おとうさんなんかよりずっとカッコよくて話もしやすいって言うもんだから。そのほうが幸福なら仕方ないじゃないですか。給料だって私と同じですからねえ、問題は何もないと思いますよ。ノー・プロブレム、ってやつ」

たぶんそれが最後になるかもしれない日本ふうのお辞儀を深々とすると、浜中は若者たちの待つ花壇に向かって、まっすぐに歩いて行った。

オリンポスの聖女

「二人芝居」という大道芸を知っているだろうか。

旧くはエコール・ド・パリのカルチェ・ラタンで流行し、やがてレヴュー華やかなりしころの浅草に輸入されて、大いに喝采を博した芸である。

もっとも、半裸に白いドーランを塗りたくった男女二人のパントマイムだから、日本では大道芸など許されるはずはなく、もっぱらレヴューの幕間に演じられていたらしい。

ビロードの緞帳をパリの闇に、スポットライトをカルチェ・ラタンの街灯の輪に見たてて、二人芝居の無言劇はひとときのエレガントな笑いを客席にもたらした。

真白に塗られて個性を没した二つの肉体が表現する諧謔と風刺——いかにもフランス人の考え出した芸だが、日本人の感覚ではエログロ・ナンセンスと呼ばれた都市文化の一表現としかみなされず、そのうち突然ライトが消えて二人が緞帳の裾にすべりこむ終わり方そのままに、この寸劇は本物の時代の闇に呑みこまれてしまった。

記憶にとどめる人も、もうほとんどいないだろう。

芸にも人間と同様、真価とはおよそ関係なく淘汰されたり保存されたりする、運命のようなものがあるのかもしれない。

1

典子が忘れられない。

遠い昔に別れた女のおもかげを、人ごみの中に探し求め、床に就けば毎夜のように夢見る。

塚原一郎は齢とともにむしろ嵩を増してゆく想いを、どうしても拭い去ることができなかった。

美しく悧発な妻と三人の子供に囲まれた家庭は居心地の良い砦で、胸を滾らせる恋愛などはそもそも必要がなかった。親の勧めるままに古風な結婚をした妻とは、恋に落ちるいとまもないまま子供が生まれ、岳父が早くに死んで事業を引き継ぐと、生活はたちまち堅固な砦になった。

けっして恋愛感情ではなく、たがいに対する敬意が夫婦の絆である。そうした関係が危うげない理想の夫婦であるということも、一郎は早くから承知していた。幸福は常に感じているのだが、年齢とともに心の中の不毛は拡がり、かつての愛の記憶がその部分に、まるで息吹に煽られた熾のように甦るのだった。

典子が忘れられない。

四十の半ばを過ぎて、このさき人並みの遊びはしてもまさか恋に落ちることなどあるまいと思い始めてから、典子のおもかげはいっそう一郎の心を領した。せめて写真の一枚でも手元にあれば、どれほど慰められるだろうと思う。だが妻との結婚を決め、典子と別れた晩のうちに、数少い写真も、手編みのマフラーもお揃いの安物の指輪も、すべて棄ててしまった。

愛していたからこそ記憶まで葬ろうとしたのだ。美しい思い出にするほどの、理屈に合う別れではなかった。そしてよもや、そののち三十年も、葬った記憶に祟られようとは思ってもいなかった。

典子が忘れられないということは、今も典子を愛していることに他ならぬのだろうか。

シドニー湾を一望に見おろすホテルの一室が、この一ヵ月間のオフィス兼住居である。

塚原一郎は義父から受け継いだ事業を「運動具屋」と呼ぶ。創業者である祖父の代にはたしかに文字通りだったが、義父は高度成長期の波に乗って、オリンピックの公式用具を納めるほど会社を飛躍させた。義父は祖父に倣い、三代目の養子である一郎は義父の口癖のままに、海外の現地法人や支店をいくつも抱えるほどの事業を、いまだに「運動具屋」と呼んでいる。もっとも、それにかわる商売の名称はどうしても思いつかないのだが。

送られてきたファックスから目を滑らせて、一郎は足元に開けるシドニー湾の夕景を眺めた。

「考えてみれば、ずいぶん間抜けな話だな。オリンピックは四年に一度と決まっているんだし、シドニーの開催も八年前にはわかっていたじゃないか」

秘書の坂本は齢こそ若いが、目から鼻に抜ける頭の良い男である。何の話だろうと一瞬だけ考えてから、一郎の心を読み取った。

「べつに支障はないと思いますが。スタッフも半年前から現地入りしていますし。何か不都合なことでもありましたか」

「いや――やはり仕方ないね。海外の拠点を整理している時期に、シドニーにだけ新しい支店を出すというのは無理がある。だが、現地に支店を持っていれば対応力はちがうだろう。わかりきっているのにどうしてやらなかったんだと、あちこちで言われているよ」

「オリンピックが終われば無用の長物です」

「まあな。しかしまさかオーストラリアには市場性がありませんとは言えんだろう」

「社長がおっしゃらなくてもわかっていますよ、みなさん。支店を構えたところも、オリンピックが終わればさっさと撤収するはずです。そんなことをする会社よりも、かえって見識を評価されると思いますが」

湾は見る間にたそがれて、ハーバーブリッジには巨大な五輪のイルミネーションが灯った。眼下に赤煉瓦の港町の街衢があり、大桟橋には豪華客船が光の塊となって碇泊している。

大河の河口に見紛うほどの、天然の良港である。いきおい町の地盤は厚い巌で、地形の起伏も港から駆け上がる感じの丘と、地隙のような谷とででき上がっている。広大な大陸にはおよそ不似合いの、小ぢんまりとした町だった。

「お食事はどうなさいますか」

夕昏れとともに群青の鏡になった窓の中で坂本が訊ねた。開会式の前日に到着してから、関係者との窮屈な会食が続いている。自由な夜は初めてだった。

「ルームサービスで済ませるよ。疲れているときには何よりだ」

勘の良い坂本はデスクの上をそそくさと片付けて立ち上がった。

「私は部屋におりますので、ご用があれば電話を」

「急用があったら携帯で呼ぶよ。たまには羽根を伸ばしてこい」

独りになると、安らぐよりも心許なさを感じた。一日の仕事が終われば、シャワーを浴びて寝酒を楽しむ間もなく、泥のような眠りに落ちる。他人のいない自分だけの時間も空間も味わっている余力はなかった。老いを感じるにはまだ早いとは思うのだが、肉体の衰えは歴然としている。

ソファに沈んでミニボトルの酒を呷ると、たちまち夜空がのしかかるほどの酔いがきた。

今晩ばかりは、記憶と握手してしまうほかはあるまい。

2

「ねえ一郎、起きてよ」

典子の低い声が耳元で囁く。名前を呼び捨てられるのは好きではない。齢上の女だと思えばなおさらのことだ。

目覚めてはいたが、一郎は湿った蒲団を被って答えなかった。

「フリだけでもいいから、さらっておこうよ。あと三日しかないんだから」

「あと三日もあるじゃないか」

「だめだめ。起きてよ、ねえ」

北向きの窓すらも隣家のブロック塀で囲まれた典子の部屋には朝も夕（ゆうべ）もなかった。だが長い学園封鎖で怠惰な生活を余儀なくされた学生にとって、これほど居心地の良い塒（ねぐら）も他にはない。親の叱言も聞かずにすみ、貧しいながらも典子の里からの仕送りと一郎の小遣を合わせれば、食うには事欠かなかった。それに――受験生活の間にあれほど身を苛（さいな）んだ心の渇きも肉体の欲望も、典子は十分に満たしてくれる。

「鈴木」という架空の先輩の名を挙げて連絡を入れておけば、親もさほど心配はせず、疑いもしなかった。どこの家でも大学生の子を持つ親の懸念は、ヘルメットを冠ってゲバ棒を振り回していはしないかということだけだった。

「鈴木」は地方から出てきてアパートに独り住まいをする三年生で、大学では演劇を専攻するかたわら、小劇団にも所属している。実は男ではないということのほかに、嘘は何もなかった。

「起きなさい」

母のような物言いで、典子は一郎をベッドから引きずりおろした。

「フリだけでもさらっておこうって、フリしかないじゃないか」

「そうじゃないって言ってるでしょう。体でセリフをしゃべるのよ」

猫しか通らぬ裏路地には小糠雨が降っていた。

小劇団の幕間に三分間の無言劇を演じるのだが、何でもそれはエコール・ド・パリの大道芸を復活させたという代物であるらしい。一応のところ大学の演劇科に籍を置いているのだから、意義はあると思う。公演が成功すれば、多少の報酬も約束されていた。

「ねえ一郎。ドーラン塗ってみようか」

「塗るのはかまわないけど、あとどうするのさ」

「タオルで拭いてお風呂屋さんに行けばいいわよ」

言うが早いか、典子は素裸のまま小さな流し台に立って粉を溶き始めた。

絵も花もない六畳間は、たとえ一郎の親がひょっこり訪ねてきても、演劇科の「鈴木」の部屋だと信じるだろう。さっぱりと片付いた机の並びに演劇関係の書物が詰まった書棚があり、色気のないスチールのベッドと古ぼけたドレッサーが置かれている。この部屋に男が入るのはあなたが初めてなのだと、酔った勢いで転がりこんだ晩に、典子は言った。

そんなことはどうでも良かったのに、典子はしきりに繰り返した。そしてなりゆきまかせの肉体の交わりから突然、思いもかけぬ恋愛が始まった。

裸電球に浮き立つ白い裸身が、小さな刷毛(はけ)で見る間にいっそう白く染まっていくさまを、一郎はぼんやりと眺めた。

「体に悪いんじゃないかな」

「さあね。そんなこと考えていたら、芝居なんてできないわよ」

「典ちゃんはすごいな」

「何が」

「良くわからないけど、今見ててすごいと思った」

「見ないでよ。はい、背中」

背骨の一節が露わな貧しい肌に、白いドーランを塗る。見果てぬ夢を見続けようとする探険家のような力が、この細い体のどこに宿っているのだろう。演劇の話を始めると、一郎が退屈してしまうまでとどめようがなかった。それもけっして自らの未来を語るのではなく、演ずることの意味とその楽しさを、まるで海や山や空について語るように、いつまでも話し続けるのだった。

典子の知的なおもざしや、痩せてはいるが均整のとれた肉体ではなく、そのうちに燃え輝く灼熱の魂を、一郎は愛しているのかもしれない。典子は愛の言葉を口にすることはなく、また一郎に求めようともしなかった。

「はい、あなたの番よ」

典子の真白な手が、汗の匂いを封じこめてゆく。

路地の表を、牛乳配達の荷台の壜がせめぎ合う音が通り過ぎて、一郎は時刻を知った。

塗り残した下腹部をちょうど被い隠すほどの小さな下着をはくと、典子は大理石の像になった。

「髪は？」

「やめとくわ。番台で文句を言われそうだから」

「ということは、顔だけここで洗って風呂屋に行くわけか」

「そうよ、知らァん顔して」

「風呂屋、三時からだぜ」

「それまで稽古よ」

公演日が近付くにつれて、一郎は安請け合いを後悔した。幕間の三分間、それもたった四日間だけの舞台に立つために、典子がこれほどの打ちこみ方をするとは思ってもいなかった。

昼間は近くの泥川のほとりにある公園で、夜は典子の狭い部屋で、二人芝居の稽古はかれこれ一ヵ月も続いている。このごろでは疲れ果てて眠りに落ちる前に供される典子の体が、何だか餌のような気さえしていた。

「パンツはいて」

下着の縁に沿って、典子はていねいに刷毛を使った。

「役を貰ったほうが楽だったんじゃないのか」

眉も唇もない顔で、典子は一郎を見上げる。

「ラク、って？」

「ちょっと言い方が悪いけどさ、どうせセリフのない役なら、せめて誰だか顔のわかるほうが得じゃないかって」

「一郎はぜんぜんわかってないね」

典子は体じゅうで溜息をつく。演劇に自分の未来を託しているわけではないのだから、損も得も、苦も楽もないことはわかっている。恋人よりも芝居を愛している典子への憤懣を、遠回しに口に出しただけだ。

「一郎は情熱に欠けるのよね」

「そうかな。やる気は十分だけど」

「一郎のやる気っていうのは、社会参加っていう程度よ」

「それじゃゲバルト学生と同じだ」

「そう。その程度。四年生になったらみんな髪を切って、スーツを買って、知らん顔で就職活動を始める。つまりクラブや同好会が社会に顔をつき出しただけのものよ。だから後輩たちも責めない。大学だけじゃなくって、劇団でもそれは同じ。やる気は十分でも、趣味かナルシズムのレベルね」

「典ちゃんも来年になったら就職活動をするのかな」

「ナンセンスよねえ、そういう質問」

「だって、さし迫った現実じゃないか」

一郎の肋（あばら）に沿って刷毛を動かしながら、典子は独りごつように言った。

「ごはんが食べられて芝居ができれば、私はそれでいい。他には何もいらない。一生それでいい」

だったら俺はどうすればいいんだ、と一郎は声に出しかけた。

かたときも離れたくはないほど典子を愛していた。典子のいない世界など考えられないのに、典子は一郎の立ち入ることのできぬ世界に住んでいる。一郎は同じ年ごろの恋人たちが交わし合っている愛の言葉に飢えていた。

花も絵もない灰色の部屋で、二人は対峙（たいじ）した。裸電球を消すと、典子はそのまま右手を挙げ、左脚を後ろに引いて、プロローグの姿勢をとった。

サンジェルマン・デ・プレの街角。似顔絵描きの男が客を呼んでいる。そこに若い女が通りかかり、私はバレリーナだから全身を描いてほしい、と注文をつける。

男は肯いてカンバスに向かう。しかし女は次々と難しいポーズをとって男を困らせる。業を煮やした男は、俺は画家だと地団駄を踏む。私はバレリーナよと女は体で言い返す。

やがて諍う二人の頭上からひとひらの枯葉が舞い落ちてくる。それを二人して足元から拾い上げ、互いを見つめ合い、接吻を交わす。ライトが落ちる。

人間の愛憎は一枚の枯葉にも如かないというテーマの、たった三分間のドラマだった。無言劇だからむろん台本などないが、すべては典子の演出である。洒落たストーリーは、混沌として定まらぬ社会を、痛烈に批判しているように思えた。

典子には才能がある。しかし典子の真の才能は、その才能を毛ばかりも疑わぬ才能だろう。勝手な自己主張と、オリジナリティの独走とでき上がったアングラ演劇の舞台に、典子の出番などあるはずはなかった。だから幕間の緞帳の外に、自分の舞台を作ろうとしているのだ。

やはり典子には、ありきたりの愛の言葉など似合わない。

「ねえ典ちゃん。もし、俺がこの役を下りるって言ったらどうする」

接吻のあとで、典子のうなじを抱き寄せたまま一郎は訊ねた。

「たとえば、の話ね」

「そう。たとえばの話さ」

ほんの一瞬だけ考えてから、典子は冷ややかに答えた。

「代役を探すわ。三日あれば何とかなる」

自分は拒まれているのだと一郎は思った。いや、もしかしたらその答えは、悪意に満ちた威迫かもしれない。自分は典子を愛する限り、二人芝居の相方を務め続けなければならないのだろうか。

「もうひとつ、いいかな」

「どうぞ」

「この後も、二人芝居は続けるつもりかよ」

「それはわからない。舞台があれば、またやってみたいと思うけど」

「どうしてそんなに拘るのかな」

一郎の髪をくしけずりながら、典子は確かな声で言った。

「古代ギリシャでも、グローブ座でも、歌舞伎でも、昔は役者のセリフなんてほとんど聴こえなかったと思うの。それでも観客はすべてを理解し、感動した。マイクとスピーカーは役者を堕落させたけれど、肉体で完全な表現をすることはできると思う。二人芝居はその実験なのよ」

典子の裸身は腕の中にたしかにあるのに、心は手の届かぬ場所にあった。言葉に嘘はない。だが典子の回答はいつも、一郎の期待を裏切った。

「たとえば、の話よね」

思い出したように一郎の顔を抱き寄せて、典子は悲しい言い方をした。

「一郎じゃなくちゃ、できないのよ。やっぱり代役はいない」

それが精いっぱいの愛の告白だと思えば、そのさきの言葉を求める気にはなれなかった。

小雨の降る午後になって、二人は顔と手の化粧だけを落とすと、銭湯に行った。ひとつの傘に身を寄せて歩くときも、帰り途に立ち寄った定食屋でも、典子は口を開けば演劇の話をした。

どうしてありきたりの恋人たちのように、素直な愛を語らうことができないのだろうと思いつつ、一郎はこの浮世ばなれした女に恋する理由を悟った。

愛を語らぬ典子はいつも耀(かがや)いていた。

3

「ところで坂本、プライベートのほうはどうなってるんだ」

午(ひる)下りの路地裏のカフェで、一郎は唐突に訊ねた。

「プライベート、と申しますと――」

「彼女とはうまく行っているのか。早いとこはっきりさせたほうがいいんじゃないのかってことだよ」

坂本は生真面目な表情をいっそう硬くして、一郎の煙草にライターの火を向けた。

「はっきり、という社長のお言葉の意味が、よく理解できないのですが」

「いくら何だって、長すぎやしないか」

「ですから、その長いとか短いとかいうのも、私にはよくわからないんです」

そっくり同じ対話は何度もかわしている。坂本はよほどうっとうしく思っているにちがいない。しかし一郎には、結婚でも同棲でもない「事実婚」という奇妙な男女の関係がふしぎでならなかった。

組合からの要請を受けて、「事実婚」についても正式の結婚と同様に各種の手当が支給されるようになったのは昨年からである。それくらい社員の中には、入籍を伴わぬ事実上の結婚が増えていた。

籍を入れないのだから、むろん子供は作らない。しかし生活は夫婦同様に共有しており、住宅ローンも背負い、親が老いれば扶養もする。どちらかが病気になれば介護の責任も負う。女性が男性と同等の働く権利を主張すれば、従来の夫婦の形が否定されるのは当然だとするのが、組合側の言い分だった。

そういう不道徳な生き方を会社が支援するなど、議論をするだにばかばかしいといったんははねつけたものの、秘書の坂本から事実婚の合理性を説かれた。

もちろん納得したわけではないが、有能な秘書までもがそういう人生を選んでいるという既成事実は重すぎた。

「つまり、結婚する意志はない、ということかな」

「いや、そうじゃなくて、結婚という概念のちがいです。私たちは結婚していると思っています」

「夫婦別姓という方法もあるだろう」

「それも考えたのですが、何だか中途半端ですね。だったら法律的にはニュートラルな状態のほうがいいと思いました」

この種の議論はいつも一郎の溜息で終わる。一郎と坂本は一回りほどしか齢がちがわないのに、どうやらその間には決定的な断層があるらしい。

「いくども言うようですが、同棲ではありません。あくまで夫婦です」

プラタナスの金色の花が塵のように舞い落ちて、一郎は掌でコーヒーカップを被った。

「夫婦というのは、そんなに甘いものじゃないよ。家族や法律や世間体や経済学で、がんじがらめに縛られてようやく、何十年も夫婦でいられるんだ」

「愛情は？」

と、坂本が刃物を向けるように訊ねた。

「むろん、それも縛め(いまし)のひとつさ。だが長い時間のうちに愛情が薄らいでも、夫婦は夫婦のままでいなければならない」

「悲劇ですね、それって」

「まあな。だが社会はそういう夫婦で成立している。少くとも、僕らの世代まではね」

「僭越(せんえつ)ですが、社長の場合は」

「幸い僕は悲劇的なケースではないよ。家内のことを十分に理解しているし、信頼も尊敬もしている」

コーヒーを一口含んで、坂本は苦笑した。この男の明晰さは頼りになるが、時として怖ろしくも感じる。

「私の社会認識はアメリカ流ですが——」

「そう。あまりいいことだとは思えない」

「しかし社長の今のおっしゃり方は、何だか大統領のインタヴューのようです」

「もうやめよう。旗色が悪くなったようだ」

したたかな笑い方をして、一郎は話題を変えた。

オリンピックも中盤を迎え、シドニーは賑わっている。日本の二十数倍もある広大な大陸に、たった千八百万人しか住んでいないこの国では、そもそも賑わいということ自体がひとつの現象と言える。仕事がらオリンピックには毎度の居ずっぱりだが、これほど町じゅうが有頂天に賑わう開催は初めてだった。

「本日の予定はIOC役員との会食ですが、日中は何か観戦なさいますか」

「少し町を見ようか。オフィシャル・スポンサーのお手並を拝見したい」

「お車は」

「いや、歩こう。車で走り回るほど広い町じゃない」

コカ・コーラやVISAと看板を並べて、次回のアテネ開催ではオフィシャル・スポンサーに名乗りを上げようと思う。その大仕事の調査も、今開催の大きな課題だった。

港町だというのに、空気は快く乾いていた。暦の上では春だが、陽ざしはすでに初夏を感じさせる。この国は、オセアニア大陸そのものが国家である。国境も持たず、いざとなれば国を鎖して自給自足ができるのだから、戦争の危惧がない。旅行者の誰もが感じるふるさとのようなのどかさは、そのあたりに秘密があるのかもしれない。

ロックスと呼ばれる古い街並から、サーキュラーキーの港に続く緩やかな坂道を、一郎はぶらぶらと下った。

町じゅうに立てられたライトブルーの幟と万国旗が汐風に翻る。

「オーストラリア人は、アメリカが嫌いなんだそうです。ですから競技でも、アメリカが負けると拍手喝采。おかしいですね、私の目から見ると、まったく似た者なんですけど」

「コンプレックスなんだろう。それとも近親憎悪か」

「そればかりじゃないでしょうね。イギリスやカナダやニュージーランドには声援を送りますから。力ずくで独立をかち取ったアメリカを、いまだに敵視しているんじゃないでしょうか」

「まさか。同じサイズの国土を持つ国としての嫉妬だろう」

「実はゆうべ、酒場で面白い話を聞いたんです。酔っ払いのオージーが、やいジャパニーズ、俺たちとヤンキーのちがいを知ってるかって」

「ほう。何だね」

「俺たちはイギリスから来た七百人の流刑者から始まった。アメリカは開拓者が始めた国だ。わかるか、俺たちは来たくもないのに連れてこられたが、やつらは自分から進んで海を渡ったんだ。つまりそのちがいさ」

一郎は声を上げて笑った。いかにも人なつこいオージーが、英語の達者な日本人を捕まえて話しそうなジョークである。

「ちょっと感心しましてね。オージーたちの対米感情のすべてが、その話の中に織りこまれているような気がして」

「オージーのジョークはアメリカ人よりずっと上等だな。イギリス仕込みだ」

「それともうひとつ——やいジャパニーズ、どうしてオーストラリアには千八百万人しか人がいないか、知ってるか」

「さて、どうしてだろう」

「世界中のどの国からも、同じくらい遠いのさ。ひとつだけ近くに陸地があるんだが、あいにく南極にはペンギンしか住んじゃいない。おかげで羊とカンガルーの顔色を窺いながら、俺たちは毎日ビクビクと暮らしている」

「羊とカンガルーかね。何だよ、それは」

「クーデターを起こされたらひとたまりもないんだそうです」

坂本の饒舌は、カフェでの対話の気まずさを埋め合わせようとしているにちがいなかった。

「ともかく、ぶきっちょでラブリーな国だな」

「はい。アメリカかオーストラリアか、どっちかに出向だと言われたら、迷わずこっちですね」

坂本にもいずれ近いうちに、海外の任地を経験させなければならない。そのとき事実上の結婚生活はどうなるのだろうか。ニュートラルでありたいという願望の脆さを、彼らが知っているとは思えなかった。

ふいに、鮮やかなオレンジ色の制服の一団が、さっそうとした足どりで目の前の横断歩道を横切った。

「何だ、スチュワーデスだな」

「パフォーマンスですよ。ああいうわけのわからないグループが、そこいらじゅうを歩き回っているんです」

なるほど大時代なサングラスをかけ、キャリー・バッグを曳いた一列のスチュワーデスは、通りを渡ると群衆にキスを投げて喝采を浴びた。

「きのうは昔の郵便配達夫の団体に遭いました。大きな鞄を腰に下げて前のめりに歩きながら、国旗に向かって敬礼をするんです。社長のお言葉を借りれば、たしかにぶきっちょでラブリーな国ですね。それに、ジョークもイギリス流です」

サーキュラーキーは古き良き時代の、オーストラリアの玄関口である。大桟橋には豪華客船が舫(もや)われ、埠頭からは観光船やノース・シドニーへの渡し船が、ひっきりなしに出入りしていた。

「港を一回りしてみるか。コークが何かイベントをやっているらしい」

一郎はジャケットを脱いで、サーキュラーキーの対岸に立つオペラハウスを指し示した。

4

七年の歳月が青春の空費であったとは思いたくない。

だが少くとも、典子との長い暮らしが一郎の人生にもたらした利益は何もなかった。愛の記憶を、まさか財産とは呼べまい。

二人芝居の寸劇はあの公演限りで終わったが、典子は大学を卒業してからもアルバイトをしながら、一文の金にもならぬ小劇団の役者を続けた。

事実婚などという便利な関係は思いもつかぬ時代だった。鈴木という謎の先輩の正体が明らかになっても、両親は理解を示してくれた。しかし一郎が大学を出て大手企業に就職し、いっこうに結婚などする気のない女といつまでも埒のあかぬ生活を続けるとなれば、話は次第に穏やかではなくなった。

跡取りのいない遠縁から養子縁組の話が持ち上がったとき、一郎は後にも先にもただ一度だけ、典子に求婚をした。

七年の間どこも変わっていない、何着かの背広だけが増えた典子の部屋で、芝居をやめてくれないかと一郎は言った。

とっさに典子は身構えるような笑い方をした。笑いを支え切るだけの言葉が見つからずに俯き、やがてジーンズの膝に顔を埋めて泣いた。

夕陽が路地に面した曇り硝子(ガラス)を染めていた。破れた膝を悶えるように摑んで泣きながら、典子はきっぱりと素顔をもたげた。

「ごめんね」

たった一言で、典子は一郎を拒んだ。

「典ちゃん、このさきどうするんだよ」

「どうもしないよ。心配しないで」

拒まれても怒りを感じぬほど、一郎は疲れ切っていた。だからむしろ、悲しみにまさるほどの安息さえ覚えた。どこかで決着をつけなければ、永遠に出口のないこの生活は一郎の人生に不幸をもたらすだけだった。

典子を愛する男はいても、典子を理解する男は自分をおいて他にはいない。だとするとこれは別れではなく、典子を捨てるということなのだろう。しかし典子が芝居を捨てきれぬのだから、自分が典子を捨てるほかはないのだと、一郎はむりやり得心した。

その晩、典子を抱いたのかどうか、記憶にはない。

サーキュラーキーの波止場は、べつだん行くあてもなく名所を歩き回る群衆でごった返していた。

観光客だけならここまで混雑するはずはないから、お祭り騒ぎの大好きなオージーたちが、人混みを求めて出てきているとしか思えなかった。日ごろから混雑とは無縁で、しかも淋しがり屋の彼らは、人のいる場所にさらに群れるというふしぎな習性があるらしい。

ぎっしりと並んだプラットホームに大小の客船が着くたび、混雑の中にまた新たな群衆が吐き出される。港は鉄道の終着駅さながらの賑わいだった。

「ところで、昨晩の競技結果はご存じですか」

小柄な体をもみくちゃにされながら坂本が訊ねた。

「いや。テレビも見ずに寝てしまった」

「女子百メートル決勝はマリオン・ジョーンズの圧勝だったそうです」

「もし負けたらナイキが真青になる。オッティはどうだった」

「ジャマイカのオッティ・マリーンですか。少々お待ち下さい」

歩きながら坂本は携帯電話を取り出した。流暢な英語ですばやく結果を問い合わせる。

「四着だそうです。大健闘と言っていいでしょうね。何しろ四十歳ですから」

フローレンス・ジョイナーとマリオン・ジョーンズという二人の天才スプリンターに

めぐりあってしまったオッティは、悲運のランナーだと思う。ついにオリンピックの百メートルでは金メダルを手にできぬまま、これでトラックを去るのだろう。

「四十ねえ――そう思えば、オッティは不世出のランナーだな」

ふいに背中から濡れた衣を被せられたような気がした。喧噪が遠ざかってゆく。

典子は五十歳になった、と思ったのだ。ずっと算（かぞ）え続けてきた恋人の年齢を、それほどまでに重く実感したことはなかった。

「どうかなさいましたか」

「いや。こうして見ると、アメリカ人とオーストラリア人は見分けられるんだな」

一郎は歩きながら気付いたことを口にして平静を装った。

「どうちがうんですか」

「いいかね。この雑踏の中でも、アメリカ人はみんなどこかへ行こうとしている。オージーたちには目的がない」

「それは地元と観光客とのちがいでしょう」

「オージーたちだっておのぼりさんは多いだろう。だが彼らはみなぶらぶら歩いている。つまり、目的意識に欠けるんだ」

オペラハウスに向かう陽ざかりのペーブメントに出ると、雑踏は急に緩んだ。

「ああ、なるほど。言われてみればそんな気がしますね。同じようにTシャツとショートパンツ姿で、大声を出して騒いでいますけど、まっすぐオペラハウスをめざしている連中と、ぶらぶら歩いているのがいます――これは大発見ですよ。つまり、来たくもないのに連れてこられた囚人の子孫と、自分から進んでやってきた開拓者の子孫」

「どっちが幸せだと思うね」

「もちろん、囚人の子孫たちですよ」

あのころ、高度成長の波に乗りながら、日本人は誰もが目的を探していたのだろう。若者たちはみな口々に反米を唱えながら、それでも生き方はアメリカ人に倣っていた。典子もそうした社会の風潮を、われ知らずに実践してしまったのかもしれない。

「あれ。さっきロックスですれちがったパフォーマンスですよ。どうやって先回りしたんだろう」

オレンジ色の制服を着た五人のスチュワーデスが、古いジャズのリズムに乗って踊っていた。世界中の国旗を手にした観光客の人垣ができ始めている。

「ごらんになりますか」

いや、と一郎は遁(のが)れるように歩き出した。

オペラハウスまで続く広い遊歩道には、大道芸人たちがいくつもの人垣を作っていた。いやな場所にきてしまったと一郎は悔やんだ。

スコットランドの服を着てバグ・パイプを吹き鳴らす男。高脚に乗ってナイフや松明(たいまつ)を回す曲芸師。若者たちのタップダンス。年老いたフォーク・シンガー。アボリジニの民族舞踊。

ひとつひとつの人の輪を、一郎は横目で窺いながらやりすごした。

オペラハウスにほど近い炎天の下に、客の寄りつかぬパフォーマンスがあった。

「あれ、石像じゃないですよ。白塗りの人間です。うまくできすぎていて誰も気が付きません」

純白の長い裳裾を曳いた、ギリシャの巫女だった。硬く重い生地で作られたドレスは海風に翻りもせず、さながら彫像のように動かない。

白い塗料で塗り固めた露わな二の腕の片方を太陽に向けたまま、もう片方の腕はしどけなく脇に垂らして、女は微動だにしなかった。

台座の足元には、満開のマリーゴールドの鉢が並んでいた。その傍らに置かれた小箱に、金を投げる客はいなかった。ほとんどの人々は、それをオペラハウスの階段の下に据えられた石像だと思い込んで、一顧だにせずに通りすぎた。

「やっぱり造りものですかね。でも、目が——」

まっすぐに向けられた黒い瞳の視野に、一郎は歩みこまねばならなかった。

一歩ずつ、ずんぐりと肥えた影を踏みしめて、一郎は石像の前に立った。

はっきりと一郎の姿を認めても、月桂樹の冠を戴いた女の表情は毀れなかった。

悲しみも切なさもなく、一郎は全き美しいものを見た感動に泣いた。空は限りなく青く光に満ち、海辺の白い塑像をくっきりと際立たせていた。

いつの日かめぐりあうことを心から希み、またその日を信じていた。そしてこの思いもかけぬめぐりあいは、およそ考えつく限り、神の誂えた瞬間にちがいないと一郎は思った。

それくらい、典子は美しかった。

誰も気付かない。気付いたところで誰も讃えはするまい。空や海と同じほどの天然の造形として人々が看過してしまうくらい、典子は完全だった。

瞬きひとつせずに、典子はゆっくりと体を動かした。それは海辺の巫女がオリンポスの神々に祈りを捧げる、優雅な挙措だった。

硬い裳裾をたわめて片膝を折り、うなじに純白の髪を引き結んだ頭を垂れて、典子は長いこと胸に両掌を当てていた。

ありがとう、と一郎は心で呟いた。ついに聞くことのなかった愛の言葉を、典子は白い胸から掴み出して、一郎に捧げようとしていた。

ありがとう、典ちゃん。もうわかったから、動かずにいてくれ。三十年も封じこめた魂のありかなど、すぐにはわかるまい。みんなが髪を切ってスーツを買って、君を置き去りにした。

何も言ってはならないと、片膝からもたげた典子の目が言っていた。言葉は穢れている、と。

そして、目にも見えず耳にも聴こえぬ愛の言葉を、純白の聖衣の胸から両掌いっぱいに掴み出すと、典子は一郎の足元に捧げてくれた。

あなたを、愛しています。いつも。いつでも。

オリンポスの聖女はけっして嘆かずに、白い巌(いわお)のような体で、たしかにそう言った。

零下の災厄

はじめにお断りしておくが、この話を私に語った柴長一郎君は、すこぶる誠実な人物である。

寡黙かつ慎重で、他者に先んじて何かをしようという意志は感じられない。かと言ってその才穎ぶりは明らかに他に先んじている。すなわち、自ら進んで語ることはないが、こちらの問いにはいつも正確な答えを用意している彼は、すぐれた文芸編集者であると言える。

もっとも、作家にとってのすぐれた編集者が、必ずしも営利企業たる出版社のすぐれた社員ではないらしい。

柴君が過日突然に文芸局から学術局へと異動したのは、誠実、寡黙、慎重、という彼の仕事ぶりがかえって災いしたとも思える。

彼の博識に少からず信倚していた私にとって、この異動は痛手であった。率直に言うのなら、使い慣れた辞書を亡失したようなものであり、作品を検察する重要な脳神経が一本、喪われたようなものであった。

だが、会社の決めた人事なのだから致し方ない。

そこである夜、拙宅に柴君を招いて労をねぎらうことにした。

その席で、珍しく酔った柴君が妙な話を始めたのである。

「事実は小説より奇なり、などと言ったら失礼ですが――」

と、柴君は話に前置きをした。

「そんなに奇妙な話なら、小説にしてもいいかね」

と、私は冗談半分に言った。正直のところ柴君のように篤実な人物が、小説より奇なる体験をしているとは思えなかったのである。

例によって柴君は、白皙（はくせき）の学者顔を沈ませて考えこんだ。いったんこうなると彼の思い悩みは長い。

「公表するのは、まずいと思います」

「どうまずいんだ」

「事件ですから。それも、人の命にかかわる」

「何も事実を公表するわけじゃないさ。小説のヒントにするだけだよ」

「いえ」と、柴君は頑固な編集者の表情で言った。

「この話は、ほんのちょっとでも変えたらつまらなくなるんです。ありのままじゃないと」

「つまり、書くなってことか。切ないね、それは」

再び、歌でも詠んでいるのではないかと思われるほどの沈思黙考の末、柴君はきっぱりと言った。

「わかりました。でしたら、ありのままを書いて下さい。メモはいけません。テープを回していただけますか」

彼の言う「事件」に興味を抱いたわけではなかった。どうせ交通事故か飛び込み自殺の目撃談だろう。少くともそれ以上の面白い話を、彼が用意しているとは思えなかった。

私が真顔でテープレコーダーを回したのは座興である。

「言っとくがね、柴君。つまらなかったら、ボツにするよ」

「それはご随意に」

声の低さは身長の高さに比例するのだそうだ。身丈が一メートル九十もある柴君は、悪魔めいた低い声で語り始めた。

　この冬、気温が初めて氷点下に下がった晩のことです。

　単行本の校了をようやくおえて、夜中の一時すぎに社を出るとき、警備員が寒暖計を指さしてそう言っていました。

編集者の時間割というのは、ふつうの会社のサラリーマンとは全然ちがいます。毎日が残業ですけれど、残業という言葉が死語になるくらいめちゃくちゃなんです。

私の場合はたいてい昼すぎに出社して、家に帰るのは夜中の二時ごろ、でしょうか。それでも部内ではまだまともなほうですね。典型的な夜型になると、毎日夕方に出社して朝帰りです。

新聞社や放送局とはちがいますから、そうしなければならない必然性はないんですけれど、つまりは昔からの職習慣というやつでしょう。どこの出版社のどの編集部にも、コウモリのような夜行性編集者が必ずいます。

ですから、その晩は午前一時といっても、順調に仕事は片付いたほうだったんです。いつもならタクシーに乗ったとたんにぐっすりと寝入ってしまうのですが、運転手の愚痴に付き合う体力も残っていました。思考力も判断力も正常だったと断言できます。

自宅は深夜にタクシーを飛ばしても一時間はかかる郊外です。好景気のころに法外な値段で買ってしまった三ＬＤＫのマンションですが、環境がいいので、満足はしています。

ただひとつ面倒なのは、自治会長が市役所をリタイアしたとても神経質な老人で、まるで大家さんのようにああだこうだと口うるさい。平日の昼間は穏やかな管理人がいるのですが、夜間と週末は彼の独壇場でした。

住人のほとんどは三十代か四十代のサラリーマンです。だから親のような齢回りの自治会長には面と向かって言い返す人はいない。それに、彼が何から何まで世話を焼いてくれるので、当番のようなものを決める必要もなかったし、考えようによっては都合もよかったのです。

自治会長は管理人室の並びの一〇一号室に住んでいましたから、管理人が二十四時間体制で常駐しているのだと思えば安心もできますしね。住人たちはみな、そんなふうに思っていました。

自治会長のお定めによれば、夜の十一時をすぎて帰宅する人はマンションの玄関までタクシーを乗りつけてはならないのです。それはつまり、早寝早起きの彼自身の個人的な不満からなんですけど、住人たちはみな文句も言わずそのお定めに従っていました。

ですからその晩も、私はマンションの手前でタクシーを降りたんです。チケットにサインをして路上に降り立ったとたん、足元からサアッと冷気の這い上がるような寒い夜でした。

マンションの向かいは一年じゅう肥の臭いのする畑で、その先は武蔵野のおもかげが残る雑木林です。並びには三棟のマンションが建つ予定だったのですが、景気の落ちこみで計画は頓挫し、借り手のない広い駐車場になっています。私がさきほど「環境がいいので不満がない」と言ったのは、つまりそうした周辺の事情のことです。駅からは遠くて買物も不便ですが、ともかく子供らはのびのびと育ちます。休日も実にのどかなものです。

そりゃあ、今の相場の倍以上の値段で買ったのですから納得をしろというほうが無理ですけれど、自らの選択なのですから文句の言いようはありません。買ったとは思わず、家賃を払っているのだと思えば、腹は立ちませんよ。

マンションの灯りはあらかた消えていて、まん丸くくり抜いたような月が、夜空の真上に輝いていました。

エントランスの階段の下に、つつじの植え込みがあります。そこから舗道に、にょっきりと何か長いものがつき出ていた。

近寄ってみると、仰向いた人間の足なんです。それも、寒々しいミニスカートの両足です。

そういうときって、悪いふうには考えないですよね。まさか死体だとは思いたくない。ふつうに考えれば、場所からしてまず飛び降り自殺でしょうけれど、まったくそうは思わなかった。住人の誰かが、酔っ払って倒れているんだろうって――そのほうが飛び降り自殺よりよっぽど不自然なんですけど、どういうわけかそう決めつけたんです。

だから、たいしてビックリもせずに歩み寄って行った。

幸いなことに、飛び降り自殺ではなく、たしかに酔っ払いだったんです。つつじの植え込みの間にすっぽりと嵌まるみたいに仰向いて、軽い鼾をかいていました。

年齢は三十前後でしょうか。整った顔立ちの頰や額が、酒に上気していました。黒いタートルネックのセーターに、たぶん贋いではない金のネックレスを付けていて、着崩れたコートは真赤な革、そういえばハイヒールも赤いエナメルでした。水商売ふう？――いや、ちがいますね。身なりは派手ですけど、いわゆるケバい感じはしなかったんです。かと言って、奥様然としているわけでもないし、パーティ帰りのＯＬとでも言ったほうがいいでしょうか。化粧も濃くはなく、髪も黒かった。

パーティで思い出しましたが、実はその晩、家内は従妹（いとこ）の結婚式に出るために郷里に戻っていたんです。子供も一緒でした。

さて、ここまでが第一場の舞台設定ということになります。小説のキャッチ・コピーでいえば、〈ありきたりの日常に突然降って湧いた出来事。はたして椿事か。はたまた凶事か。〉などというところでしょう。

この先の展開、想像できますか？

私は生まれつき、とっさの行動というのが不得手なのです。良く言えば思慮深い。悪く言うなら、ノロマですね。だからこのときも、女を見下ろしながらじっと考えこんだのです。どうするべきか、って。氷点下の夜中に正体もなく酔い潰れていたら命にかかわりますから、とりあえずは起こさなければならない。

マンションの住人ならば問題はないのですが、もしそうじゃなかったらどうするか。いや、住人にちがいない。しかし顔には見覚えがない。酔っ払ってあちこち迷走した末に、業を煮やした運転手が適当な場所に放り出したという可能性もある。

私はからきしの下戸なので、酔っ払いのあしらいが苦手なのです。揺り起こしたとたん絡まれたらどうしようと思った。ベランダから見下ろせば、男と女の揉めごとですよ。男は六階の柴さんのご主人。でも女の人は奥さんじゃない。どういうこと？　そう言えば、柴さんの奥さん、ご親戚の結婚式だとかで田舎に帰ってるのよ、お子さんも連れて。

そんな噂を想像すると、エントランスが六十の桟敷に取り囲まれた舞台のような気がしましてね。いっそのこと知らん顔をしてしまおうかとも思った。家に戻ってから一一〇番に電話をしようかって。

でも、それも卑怯ですよね。声のひとつもかけないっていうの。

女が倒れていたのは、自治会長の部屋の前なんです。植え込みのうしろには塀があって、その向こう側も一階の専用庭ですから、声が届くというほどではありませんけれど。そうだ、あの自治会長こそこういうときに使うものだって思いましてね、いったんエントランスから入って、声をかけようとしたんです。しかし、考えてみれば夜中の二時。迷惑にはちがいありませんよ。

結局、また外に出てきて、女を起こすことにした。

「もしもし、もしもし。カゼひいちゃいますよ。起きなさい」

小声でそんなことを言いながら、赤いハイヒールの先を揺すりました。まったく目覚める気配がない。泥酔です。そこで、つつじの植え込みをかき分けて、頬を軽く叩いた。

「もしもし、もしもし。起きて下さい」

うっすらと目を開けたものの、反応なし。

「きょうは冷えてますから、こんなところで寝てたら死んじゃいますよ。いいんですか。よくないですよね。さ、起きて下さい」

「イヤ」と、女ははっきりした声で言った。

「イヤじゃなくって。あなた、このマンションの人ですか。何号室ですか」

「ちがう。おうちじゃない」

「だったら、おうちはどこでしょう。ご近所ですか」

目をつむったまま、女はケケッと妙な声で笑い、指先を雑木林のほうに向けました。

「え？　あっちですか。あっちのどこですか」

「ずっとあっち」

言ったとたん、女の表情が苦しげになって、いきなり激しく嘔吐したんです。

そのとき、塀の向こう側でガラリとサッシの開く音がした。自治会長が目を覚ましてしまったのです。

「何時だと思っているんですか。いいかげんになさい」

どうしてそのとき、きちんと状況の説明をしなかったのでしょう。

自治会長の口ぶりが、ゴミの分別について文句を言うときと同じだったので、私はとっさに、「どうもすみません」と言ってしまったのです。

今から思えば、この「どうもすみません」という一言がいけなかった。何も私があやまる筋合いではないのに、ついそう口にしてしまったとたん、私と女との間に共犯関係が成立してしまったのです。

さらにまずいことには、時刻と声から推理したのでしょうか、自治会長は私の名を言い当てた。

「柴さんかね。いいかげんにして下さいよ」

私は、吐瀉物にまみれた女を抱き上げて道路に引きずり出しました。ことの顚末はともかく、塀の向こう側で耳を澄ましている自治会長と、頭上のベランダが気にかかってならなかった。

私は路上にぺたりと座りこんだ女に背を向けました。

「ともかく僕の家へ行きましょう。声を出さないで」

女は私の背に体を預けました。

「ありがと」

「シッ。静かにして」

こうして不可抗力的な事情により、私は家族のいない家に、美しい酔いどれ女を連れこむ羽目になったのです。

え。不可抗力ではない、ですか?

ちょっと待って下さい。もしや、私に何かいやらしい企みがあったとか、考えてらっしゃるわけじゃないでしょうね。

天地神明に誓って、そういうことはありません。邪推です。私はあらぬ誤解を避けようとしただけなのです。ともかく人目に触れぬよう女を家に連れて行って、警察に連絡するなり、事情を聞くなりしようと——少くとも私の住環境と、女の泥酔状態と、その晩の気温とを総合的に判断すれば、不可抗力であったと私は思います。

ちがいますかね。

「ただいま」と、いつもの癖でドアを開けたなり暗闇に向かって声をかける。背中の女は目を覚ましました。

「きもちわるい。トイレ」

リフォームしたばかりの家の中を、見知らぬ女に汚されたのではたまったものではない。

「待て。ガマン、ガマン」

と、女をバスルームに放りこみました。

「誰か家の人に迎えにきてもらいましょう。電話番号は？」

女はとうてい私の質問に答えるどころではなく、タイルに横座ったまま苦しげに喘ぐばかりでした。

「誰も、いない」

「ひとり暮らしなんですか」

「そう」

たとえどのような事情にせよ、家内の留守中に女を家に泊めるのはまずい。まさか真夜中に実家に連絡をして、かくかくしかじかと説明をするわけにもいきません。だとすると、残る方法は警察しかないと私は思った。

しかし受話器を手に取ってから思い直したのです。あの神経質な自治会長がパトカーの到着に気付かぬはずはない。とっさに起き出して、私の家まで警察官を誘導してくるぐらいのことはするでしょう。そうなると、つい先ほどのエントランスでの出来事が、あれこれと勘ぐられる。

なぜあのとき、きちんと説明をしなかったのですかね、柴さん。もしや警察官に言っていることと、ちがうんじゃないですか、ほんとは。

何しろ分別ゴミの中味をひとつひとつ点検し、不合格となればその内容物から正確な推理を働かせて、たちまち怒鳴りこんでくるという彼のことですから、善意の解釈などはまるきり期待できません。家内が留守、という条件ひとつだけでも、彼があらぬ疑いを私にかけることは目に見えていました。

手詰まり、という気がしました。部屋の灯りをつけることさえ忘れて、バスルームから聴こえてくる女の喘ぎ声に耳を澄ませました。

酒が飲めぬ分だけ、しばしば酔っ払いの介抱をさせられる私の経験からすると、吐くだけ吐いてしまえば案外カラリと正気に戻る人間は多い。それに期待しようと思いました。

（すみません。ご迷惑をおかけしちゃって）とか言いながら、女は何ごともないように帰って行く。


ところが、私の希望的観測はたちまち裏切られてしまったのです。

喘ぎ声が治まり、しばらく静かにシャワーを使う音がした。ホッとしたのもつかのま、闇の廊下に突然、一糸まとわぬ女の裸が現れたのです。

「きもちわるい、サイッテー！」

私の存在などまったく目に入らぬように、女はびしょ濡れのままリビングをよろめき歩き、そのままドッとソファに倒れ伏した。

サイッテー、はこっちのセリフですよ。絨毯(じゅうたん)は先月敷きかえたばかり、応接セットは暮のボーナスで思い切って買ったイタリア製の高級品です。

私はあわててバスルームに飛びこみ、タオルと家内のバスローブを手に取りました。そのときやっと灯りをつけて、常ならぬ光景にギョッとしました。

足元には靴やハンドバッグや、衣類や下着が散乱している。金のネックレスなんか、引きちぎられていたんです。まるで強姦現場のような有様でした。

そのとき初めて、事態の異常さに気付いたのです。もちろんそれまでの経緯もふつうじゃないんですけれど、酔っ払いだと思えば仕方がない。しかし、いくら酒が過ぎたからといって、多少なりとも常識のある人間が、見知らぬ家のバスルームでそこまでしますか。

これは、ただの酔っ払いではない。酒癖が悪いわけでもない。どこの誰かは知らんが、ともかく素性の悪い女にかかわりあってしまったと思いました。

私はめったなことで腹は立てません。仕事に関しては神経質ですが、元来の性格は相当ノンビリしているというか、鷹揚(おうよう)だと思います。だがさすがに、そのときばかりは声も荒くなりました。

「しっかりしなさい。名前は。誰でもいいから知り合いの電話番号を言いなさい。さもないと、警察に電話するよ」

ソファに横たわった裸体にバスローブを被せてそう言うと、女はとろりとした目を私に向けて、拝むように手を合わせた。

「おねがい、それだけはやめて」

「だったら知り合いの電話番号を教えなさい。少くとも僕より親しい人間はいくらでもいるはずだ」

「はい。わかりました」

わかりましたも何も、とたんに女はストンと落ちる感じで眠ってしまった。今度は呼んでも叩いても目を覚まさないんです。

警察を呼ぶにしても、この状況はさっきより悪い。酔っ払いの女が勝手に素裸になって寝てますなどと、自治会長はおろか警察官だって信じないでしょう。

　フロアスタンドをつけました。部屋を明るくするのは何だか気が引けたもので。そのとき初めてまじまじと女の顔を見たのですがね、いやァ、化粧を洗い落としてもなかなかの美人でした。もちろん、妙な気にはなりませんでしたよ。性的興味が起きるような状況じゃありません。ただ客観的に、オブジェとしてそう思っただけです。動転した女の寝顔を見ながらタバコをつけ、インスタント・コーヒーを淹れました。動転した気持を落ちつけるためです。

　こうなったら朝まで付き合うほかはない。何時間か眠れば酒も抜けるだろうから、ご近所が起き出さぬうちに追い払おう。

　そう肚をくくるとふしぎに気が落ちつきました。だって、ほかに手だては何もありませんからね。

　カーテンを開けると、星空に向いた窓は白い縞模様に被われていました。バスルームから漂い出た湯気がたちまち凍りついてしまうほどの寒い夜だったのです。

　エアコンのスイッチを入れ、バスローブの中で丸くなった女の体に毛布をかけた。ほっぽらかしてベッドに入りたいのは山々ですが、見張っている必要はある。もしかしたら新手の物盗りかもしれませんからね。

　こういうとき、編集者という職業は便利です。本を読むのが仕事ですから、暇をもて余すということがありません。状況が状況なのでミステリーやサスペンスを読む気にはなれず、あまり私の趣味ではない恋愛小説を書斎から持ってきて読み始めました。

ページを繰るうちに、ふと妙な気分になりました。ロマンチックな気分、とでも言うのですかね。そう、まったく柄に似合わず、です。

文芸編集者などというと、ロマンチストばかりなんじゃないかと思われがちですけれど、けっしてそんなことはない。むしろロマンを即物的に捉えてしまうので、そういう人間的な特権を放棄しているというか、リアリストの集団なんですね。そりゃあ学生時代には、恋愛小説をうっとりと読んだこともありますが、そんな気持はとっくに忘れている。

結婚して十年になる家内とも、さほど燃え上がる恋愛をしたわけではなく、どちらかというと成り行きまかせでした。おたがい居心地がいい、という程度の感情に、多少色が付いたという程度でしょうか。

結婚なんてあらかたそんなもので、むしろそういうほうがうまく行くにちがいない。少くとも平安な日常というのは約束されますよね。濃密な思いのない分だけ。で、子供が生まれ、その成長とともに平安な日常の中に幸福を確認する。

つまり、妻子の欠落した世界に、見知らぬ美女が全裸で横たわっているという非日常。この構図が私の心に眠っていたロマンチシズムを呼び醒ました。

くどいようですが、性欲ではありません。そういうものとはちがう次元の、精神的な悦楽とでも言いましょうか。

しかし、紙一重ではあります。女が寝返りを打ったたび、あるいは悩ましげな息をつくたびに、胸はときめきましたから。

心地よく、一時間ばかりが過ぎたでしょうか、突然けたたましく電話が鳴った。

いかに昼と夜とを取りちがえた編集者でも、午前三時の電話は非常です。ギョッとして受話器を取りますと、七歳になる息子の声が細々と聴こえました。

〈もしもし、おとうさん？〉

「どうしたんだ、こんな時間に。何かあったのか」

〈あのね、おしっこもらしちゃったの。おかあさんにお尻ぶたれちゃう〉

息子は寝小便の癖が治らないのです。家にいるときでも、粗相をすれば母親はヒステリックに叱りますので、私をそっと起こしにくる。真夜中に証拠隠滅を図ってやったこともしばしばありました。

「そんなこと言ったっておまえ、おとうさんはどうすることもできないよ」

〈すぐきてよ。車で、すぐきて助けてよ〉

「だめだめ。おかあさんを起こして、あやまりなさい」

〈お尻ぶたれちゃう〉

「ぶたれそうになったら、おとうさんがぶっちゃだめって言ってたって、おかあさんに言いなさい」

〈おじいちゃんやおばあちゃんも怒るよ、きっと〉

「怒らないって。でも、そのまま朝まで黙っていたら叱られるよ。すぐにおかあさんを起こしなさい。いいね」

はあい、と不本意そうに言って電話は切れました。

そのとたん、私のロマンチシズムは吹き飛んだのです。揺るがせにできぬ私の日常。十年の間、せっせと積み上げてきた平安。このささやかな幸福の中に、素裸で寝ているこいつは誰だ。

「起きろ。いいかげんにしてくれ」

女は何を勘違いしたものか、毛布とバスローブをかなぐり捨てると、股を開いて「来て」と言った。

「そうじゃない。君は誰だ」

「誰でもいいから来て。早くぅ」

女は白い腕をしばらく闇に泳がせたあと、またバッタリと動かなくなった。

毛布を元通りにかけ直して、私は怒りを静めながら考えました。怒ったところで相手がこのザマでは埒があきません。

時刻は午前三時を回っている。六時には早起きの主婦たちが起き出す。一〇一号室の自治会長は専用庭に出て体操とゴルフの素振りを始めます。遅くともそれまでに、つまり暗いうちにこの女をマンションの外に叩き出さなければ、どんな噂が駆けめぐるかわかったものではありません。

奥さん、こういうことはあまりお耳に入れたくはないんですがね。あなたがお留守の晩に、旦那さんが女の人を連れこんでたみたいですよ。それも、へべれけに酔っ払った女。いらぬお節介かもしれませんけど、黙っているのも何だと思いまして――。

そんな自治会長の呟きを想像したら、いても立ってもいられない気持になった。悪い想像じゃないですよ。確実な予測。しかも女の様子からして、暗いうちに叩き出すなどというのは、どう考えても無理な気がしました。

そこで背に腹はかえられず、女の持物を点検することにしたのです。いいことじゃないですけど、仕方ないですよね。

「バッグ、開けますよ。いいですか」

いちおう、そう言いました。女は鼾を止めて、「ンガア」と言った。まさか「どうぞ」とは聞こえなかったが、「ああ」という肯定だと勝手に決めました。

ハンドバッグの中味なんて、家内のそれだって見たことはないんです。緊急避難のためとはいえ、背徳を感じました。

高級なブランド品らしいバッグは、枕みたいに膨らんでいました。

蓋を開けて、私はアッと声を上げたんです。何が詰まっていたと思いますか。手の切れるような札束。それも百万円の帯封つきが五個。バッグには剝き出しの札束が、パンパンに膨れ上がるくらい詰まっていたんです。

ほかには化粧道具と携帯電話機。肝心の手帳とか免許証とか、住所氏名のわかるものは何も入ってなかった。

見るんじゃなかったと後悔しましたよ。酔っ払いの女が五百万もの大金を持ち歩いているなんて、事件性を感じるじゃないですか。しかも、私が「警察に電話する」と言ったとき、女は切なげに「おねがい、それだけはやめて」と懇願したんです。

膝は震える。腰は抜ける。胃は痛む。世間は物音ひとつなく静まり返っているのに、目覚めているのは私だけだというのに、何でこんなふうに私ひとりが追い詰められなきゃならないんでしょう。

そのとき、ふいに女の携帯電話機が鳴ったんです。恐怖のあまり、「わっ」と声が出ましたよ。

「おい、君。電話だよ、電話」

いい夢でも見てるのでしょうか、女はニタニタと笑いながら眠り続けています。

「頼む、出てくれ。迎えにこいって言ってくれ。お願いします」

「いや。ねむたい」

私は電話機のボタンを押して、女の頬に押しつけました。たちまち、ボリュウムいっぱいの男の声が、闇の彼方から響きました。

〈バカヤロー！　てめえ、どこで何してやがるんだ。妙な気を起こすなよ、ブッ殺す

ぞ！〉

　ああ、と女は腑抜けた声を出した。

「……心配ご無用よォ」

〈どこにいるんだ。一人か？〉

「ええとねェ……ええと……あれえ、知らない人がいる」

〈知らないやつ？　誰だ〉

「わかんない。あれ、どうして素ッ裸なんだろう……」

　正直を言いますとね、私はそのとき、あとさきのことなんか考えずに逃げ出そうとしたんです。ところが、女は思いがけぬくらいの強い力で私の腕を摑んだ。

「電話、かわれってさァ」

　まあ、電話の中からピストルの弾が飛んでくるわけじゃありませんから、言いわけのひとつもしようと思いまして電話機を取った。

〈もしもし〉

「はい、もしもし」

〈あんた、誰だよ〉

　誰だと訊かれて名乗るわけにはいかない。凄味のある声は、カタギとは思えませんでした。

〈誰なんだァ？　俺の女に、何をしたんだよォ〉

「何をって、何もしてませんよ」

〈何もしてねえのに、素ッ裸で寝てるんか。ああ？〉

「この人が、勝手にシャワーを浴びて寝ちゃったんです」

〈あのなあ。どこのどなたさんか知らねえけどよ、そういう子供だましみてえな言いわけをするなよな〉

「嘘じゃないです。何もしてません」

〈フン。ま、いいや。それよりかお前――見たか〉

「見たって、何を？」

と、私は凍りつきながら懸命にソラとぼけました。

〈いや、見てねえんならそれでいい。ともかくそいつは酒癖が悪いから、目が覚めるまで預っておいてくれや。お礼は、いずれな〉

ブツリと電話は切れた。はたして「お礼」というのは、いい意味でしょうか、悪い意味でしょうか。深く考えるのはよそうと私は思いました。

女は依然として気持よい寝息をたてています。

こうなったら、できるだけの努力をしようと思いました。できることといえば、そう――電話機のメモリーを検索して、片っぱしから女の知人に連絡をとることです。

「もしもし、夜分に失礼いたします。わたくし、そちら様のお知り合いの女性をお預りしているのですが――」

最初のナンバーでつながったのは、寝呆けた女の声でした。

〈お知り合いの女性って、だあれ？〉

「それが、私にもよくわからないんです。酔い潰れて寝ちゃってるもんで。ともかく、赤い革のコートを着ていて、赤い靴をはいているきれいな人」

すると突然、電話の声が豹変した。

〈あたし、関係ないわよ。その女とは、いっさい、関係なしっ！〉

まるで受話器がぶち壊されたんじゃないかと思うほど唐突に、電話は切れてしまった。

引き続き、次のナンバーをコール。

「もしもし、夜分おそれ入ります。お知り合いの女性をお預りしてるんですけど――」

〈なんだァ、それ。おたく、どこにかけてるの？〉

若い男の声でした。飲み屋の中でしょうか、あたりは騒々しかった。

「その女性が私の家で酔い潰れてるんです。お知り合いなら、迎えにきていただけないかと。赤いコートを着た、三十歳ぐらいのきれいな人です」

ええっ、と男の声は大げさな驚き方をした。

〈あのさ、おたく、その女のこと、よく知らねえの？〉

「はい。ぜんぜん」

〈それってさ、チョーやべえわけ。迎えに行くなんて、殺されに行くのと同じわけ。悪いけど、切るよ。ごめんな〉

「ち、ちょっと待って下さい。私はまったくの行きずりで、この人の名前も知らないんですけど」

〈へえ……ついてねえ奴もいるもんだなあ。チョーついてねえよ、おたく。そいつの名前はよ、レイコっての。俺が言えることはそれだけ。誰だってよ、ひとつっかねえものをなくしたくはねえもんな。俺、関係ねえから〉

「あの、あの。ということはですね、警察に連絡したほうがいいでしょうか」

〈そりゃ、やべえよ。やべえの百万回。ま、おたくはまじめな人らしいから、いちおう忠告しとくけどさ、それやっちゃったらあんた、まちがいなくコンクリ詰めだよ。サッなんて、チクッたやつのあとのことなんか、心配してくれねえからな。悪いことは言わねえから、それだけはやめとけって〉

「じゃ、じゃ、じゃあいったいどうすれば」

〈知るかよ。しかしよォ、世の中にゃ不幸な人もいるもんだね。チョー不幸。じゃあな、もう電話すんなよ〉

やはり電話は、けがらわしいものでも捨てるようにブッツリと切れました。

とりあえず判明したのは、この女がレイコという名前で、とんでもなく危険な人物である、ということです。

私は深く反省をしました。いえ、この女にかかわり合ったことではなく、不幸の認識について。つまり、人生を順調に過ごしてきた私は、見知らぬ酔いどれ女にかかわり合ったことを身の不運と感じていたのですが、世の中の不幸というものはそれほど甘いものではなかった。その実体はまさしく底なしなのです。追い詰められたと思ったところから、本物の不幸は始まったのです。

勇を鼓して、再び別のナンバーをコールしました。

「あの、夜分すみません。レイコさんをご存じですか」

〈バッカヤロー！〉

荒くれた怒鳴り声を残して、電話は切れました。バカヤローと叫ぶ前の一瞬の沈黙が、レイコの正体を雄弁に語っているような気がしました。つまり、「いきなり何を言い出すんだ。縁起でもない。バッカヤロー！」という感じです。

それから何人かに電話を入れましたが、どれも「レイコ」という名前を口に出したとたん、是非もなくプツリと切られてしまうのです。

疲れ果てて、私は三十分ばかり眠りに落ちました。いや、恐怖のあまり気を失ったのかもしれません。

一縷（いちる）の光明がさしたのは、失神している場合ではないと気を取り直して、再びコールした一本の電話です。

長い呼び出し音のあとで、ようやく目覚めたらしい男の声はきわめて紳士的でした。藁（わら）にもすがる思いで、私はていねいな説明をした。「レイコ」という名前を口にしても、男は動じませんでした。

〈なるほど。それはたいそうご迷惑をおかけいたしました。すぐに迎えに行きます。ご住所とお名前を〉

私は躊躇（ちゅうちょ）なく答えました。この人物にすがるほかはないと思ったからです。

〈ところで、私にご連絡を下さった経緯はよくわかりましたが、ほかの電話で、誰かにあなたのプライバシィは明かしましたか？〉

「いえ。どなたもとうてい取りつく島もないというふうでしたので」

〈それは幸いでした。あなたの存在について、知る人はおりませんね〉

「はい。警察にも連絡はしていません」

〈ご家族は？〉

「たまたま留守にしております。このことを知っているのは私だけです」

〈そうですか。それはよかった。では、のちほど〉

「あの、そちらのお名前は」

〈ヒコムラと申します。詳しいことはお知りにならないほうがよろしいでしょう〉

電話番号は、私の家とはさほど遠くないはずの地域でした。

案の定、三十分もたたぬうちにヒコムラと名乗る人物はやってきました。

一見して信頼のできそうな白髪の紳士でした。

そこまで語りおえると、柴君はテープレコーダーのスイッチを切ってしまった。

「あれ、それでおしまいか」

「はい、おしまいです。ヒコムラさんは何もなかったことにしてくれと言い置いて、女に服を着せ、背負って帰りました」

「ずいぶん人騒がせな話だね。で、そのヒコムラ氏とレイコさんの関係は？」

さあ、と柴君は首をかしげて苦笑した。

「ヒコムラさんは、服を着せながら泣いてましたからね。少くとも他人じゃないですよ。年の離れた夫婦か、もしかしたら親子かもしれません」

「ゴメンですむ問題じゃないね。何もなかったことにしてくれって、そりゃないだろう」

「迷惑料をもらいました」

「いくら？」

「ぜんぶ」

「ぜんぶ、とは」

「五百万ぜんぶ、です」

柴君は人差指を唇に当てた。ここまで洗いざらい話してしまったあとで、彼が嘘をつく理由はない。

　しかし、だとすると話はいよいよ混乱する。レイコが所持していた五百万円の金そのものに、さしたる事件性があったわけではなく、むしろヒコムラ氏にとってもレイコにとっても、どうでもよい金であったということになる。

「もちろんお断りしたんですけれど、このことを知る人は誰もいないんだから構わないでしょうと、ヒコムラさんが言うもので」

「それは、ちょっと君らしくないね」

「置いてっちゃったんですから、仕方ないですよ」

　堅実な性格の柴君が、そういう得体の知れぬ金を受け取るはずはない。話は信じるにしても、その結末に納得はいかなかった。

「嘘じゃないですよ。家内には説明ができないのでヘソクってありますけど」

「意外だね。どうもしっくりしない。もしや、まだ話の続きがあるんじゃないか」

「やっぱり、そう思いますか」

　と、柴君は冷えた茶を啜りながら溜息をついた。

「だってそうだろう。ほかの登場人物はともかく、ヒコムラ氏は君の名前も住所も知っている。もしかしたらレイコさんだって記憶してるかもしれない。それだけで気味が悪いじゃないか」

「それがですねえ、不都合も懸念も、何もなくなっちゃったんです」

「どういうことだ」

「こうなったら、家内にもすべてを打ちあけて、金は警察に届けようと思ったんです。ところが翌日は会議で、家内が帰ってくる前に家を出なければならなかった。金は鞄に入れて、持って出ましたよ。説明をする前にそんな大金を見つけたら、家内はビックリするでしょうし、第一、家に置いておくのも物騒ですからね。ところが――会議をおえて遅い昼食をとっていたら、午後のワイドショーでとんでもないニュースが流れたんです。本日未明、高速道路でスリップ事故があって、男女二人が即死だと――」

ヒコムラ氏とレイコは、柴君の家からの帰途、交通事故を起こして死んだ。

一夜の出来事を知る人間は、いなくなってしまったのだった。

「このうえ、警察に届けたり、家内に説明をしたりする理由はありませんよね」

たしかに、その必要はない。五百万の金は一夜の迷惑料として貰ったものなのだから、税務署はとやかく言っても、警察が文句をつける筋合いではあるまい。

「どうです。事実は小説より奇でしょう」

柴君は背筋を伸ばして、少し得意そうに言った。

「たしかに、そうだね」

「最後には必ず謎が解明される話なんて、少しも珍奇ではありませんよね。小説のように結末がきちんとついて、全容の解明される現実なんて、めったにありませんよ」

私は返す言葉を失った。これはたぶん、文芸編集者の職を去る彼の、華麗な捨てゼリフなのだろう。

「それにしても、レイコという女はいったい何者だったんだ」

「さあ。べつに知りたくはないですね。小説じゃないんですから、詮索することに意味はないでしょう。真実を知るよりも、謎のままあれやこれやと想像したほうがずっと楽しめます」

もしかしたら小説家は、卑賤な職業なのかもしれない。

そう思うと、柴君の語った零下の夜気が、ひんやりと背筋に這い上がってくるような気がした。

永遠の緑

朝の目覚めが良くなったのは、年齢のせいではない。体力が充実し、気力も横溢しているのだ。

——と、そう思うことにしている。

だが、定年退官を二年後に控えた国立大学助教授に、今さら気力が漲(みなぎ)るはずはない。体力に多少なりとも自信があれば、そもそもこういう人生は歩まなかった。

ともあれ牧野公徳(きみのり)博士は、このところ午前六時になると目が覚めてしまう。しかも、いったん目覚めればぬくぬくとベッドの中でまどろむことなどできず、まるで兵隊のようにたちまちはね起きるのである。

いまだ明けきらぬ冬の朝など、娘と二人暮らしの家が妙に広く感じられる。

足音を忍ばせて階下に下り、とりあえずコーヒーを淹れる。

いちいち手動式のコーヒー・ミルで豆を挽き、ネルのドリップで一杯分だけを落とす。

文明の利器によって文化が退行してはならないというのが、牧野博士の一貫した思想なのである。だから、コーヒー・メーカーは娘の専用になっている。

ゆっくりと、狙い定めるように湯を落としながら、牧野博士はふと気付いた。

（なあんだ。きょうは土曜じゃないか）

とたんに、何だかものすごく得をした気分になった。とりあえず出勤する必要はなく、朝の余暇を利用して学生たちのつまらぬ論文を読む必要もない。それどころか、せっかく土曜の朝に早起きをしたのだから、当然競馬場に行くべきであろう、と思った。

コーヒーを啜りながら、つい鼻唄もはずむ。リビング・ルームのカーテンを開けると、冬枯れた庭に小鳥が群れていた。

朝の一仕事をするつもりで寝室から持ってきた論文を、ぞんざいに片付ける。

牧野博士の専門は環境工学である。簡単にいうなら、進歩する文明社会の中で、人間がいかにして快適な生活を送ることができるかという学問なのだが、実は博士が学生であった四十年前には、こういう専門分野は存在しなかった。つまり正しくは、物理学を志しながら高次元のドロップ・アウトをし、新興の分野に収まったのである。

だから博士は、この学問のエキスパートでありながら、何とはなしに偏見を持っている。教授の椅子をさほどに渇望しないのも、本当の理由はそれである。

ことに、ちかごろの学生たちの論文を読むと腹が立つ。おしなべてオリジナリティを欠き、いかにも就職のための学問、という感じがする。

ソファの上に、娘のコートとハンドバッグと、競馬新聞が投げ置かれていた。酔って帰ったのだろうか、たしか家の前に車が止まったのは、午前一時を回っていた。競馬新聞を開いても、目が滑った。親がとやかく言う齢ではないが、このごろ帰りが遅すぎる。

ボーイ・フレンドは何人も知っている。だが、特定の恋人を紹介されたことはなかった。友人と見せかけた男たちの中に恋人が混じっていたのだろうか。あるいは、あえて恋人だけは父に紹介しなかったのだろうか。

もうひとつ、重大な疑惑がある。あれほど父の道楽をたしなめていた娘が、最近ふいに馬券を買い始めた。

おかげで文句も言われなくなったし、共通の話題ができたのは好ましいことなのだが、問題はなぜ娘が突然にPATの会員になり、せっせと馬券を買い始めたか、である。しかも、時おり競馬場にも通っているらしい。いかにも父との遭遇を避けるかのように、こっそり行っている様子がまた怪しい。

競馬新聞を眺める博士の目は、虚しく馬柱（うまばしら）を滑り続けた。

どうしてこんな重大なことに、今まで気付かなかったのだろう。恋人ができたというのなら結構だが、男はたぶんろくでなしだ。もしかしたら妻子持ちの道楽者かもしれぬ。

コーヒーを飲みおえると、博士は奥の六畳間に入った。かつては夫妻の寝室であった北向きの座敷は、仏間になっている。

仏壇の扉を開けるのは久しぶりだった。うっすらと積もった埃を指で拭い、線香を上げる。

妻のみどりが亡くなってから、十一年が経つ。

(なあ、ママ。どうやら真由美のやつ、そういうことらしいんだが、どうすればいいかね)

急性白血病という業病に冒され、突然死んでしまった妻は三十代の美しい時のまま、老いることがない。

(親が心配する齢じゃないでしょうに。第一あなた、いつだってうじうじと心配するばかりで、説教のひとつもしたことがないじゃないの)

(べつに、かまわんがね。ただ、不倫だとか、たちの悪い男だとか、そういう可能性をだね——)

(大丈夫よ。あの子はしっかり者なんだから。好いた惚れたよりも、損得勘定のきちんとできるタイプだわ)

(しかし、恋人に競馬を教えるなんて、まともな男の考えることじゃないよ)

(あら……そうかしら)

妻の写真が笑った。

(だとすると、あなたもまともな男じゃなかったということになるけど)

(さて、何の話だろう)

（とぼけないでよ。カブラヤオーを見に行こうっていうのが、初めてのデートの誘いだったわ）

博士は仏壇の扉を閉めた。議論は好きではない。言い争う前に顔をそむけるのは、博士の悪い癖だった。

古ぼけた洋服ダンスを開け、競馬専用のタートル・ネックのセーターを着る。コーデュロイのズボンの下には、ふだんははかぬモモヒキを。

電気カミソリを使いながら、博士は階段の上に向かって呼びかけた。

「真由美ちゃん。パパは馬場に行くけど、よかったら一緒に行きませんか」

古い家の床が軋む。真由美は踊り場のステンド・グラスに射し入る朝の光から目をかばって、寝呆けた顔を覗かせた。

起き抜けの不様な表情は母親にうりふたつだと、博士は思った。

「いやだあ、パパと行くのなんて」

「どうしてだね。誰かと約束でもしているんですか」

「そういうわけじゃないけど、睡たいからイヤ」

「じゃあ、気が向いたら後からいらっしゃい。パパは二階席のゴール前にいるから」

「気が向いたらね」

寝室から仔猫が這い出してきて、博士の顔を見下ろしながら、ニャアと鳴いた。

「それに、オグリがひとりぼっちじゃかわいそうよ」

「いつだって昼間はひとりぼっちじゃないですか」

「だから週末ぐらいは、遊んでやらなくちゃ。ね、オグリ」

これ以上の無理じいをすれば、あらぬ議論に発展しそうな気がした。

週末の競馬場通いは、妻に死なれた後も改めなかった。いやむしろ、以前にも増して足繁く通い始めた。真由美を近所に住む妹夫婦に預け、仕事だと偽って府中や中山に行った。

「新聞、持ってっていいですかね」

「だめよ、ＰＡＴをやるんだから」

「ああいうものは不健全だとパパは思うんだが。何だかゲームにお金を賭けているみたいじゃないですか」

ステンド・グラスの光の中で、娘は猫を抱いて蹲っている。俯いた顔の幼さが妻に似ていた。

思いがけずに博士は古い記憶を喚起させた。それは四半世紀も昔の、冬枯れた中山のターフ——。

「ほら、あの真黒い馬だよ。人気は全然ないんだけど、今年の三歳馬では一番強いと、僕は信じているんだ」

パドックの柵にもたれて、みどりは首をかしげた。

「カブラヤオーって、変な名前ね。あんまりいい馬に見えないけど」

ぼってりとした大柄な馬で、たしかに素人目にも見映えはしない。ファラモンドにダラノーア牝馬という配合も、良血とは言い難い。六回東京の新馬デビュー戦が七番人気の二着。続く同開催の新馬戦を、五番人気で勝ち上がった。この五回中山のひいらぎ賞では八番人気である。

「ここを勝てば、次のレースからは人気になる。だから大儲けをする最後のチャンスだと僕は思ってるんだ」

「もし勝たなかったら？」

「お金がなくなる」

みどりは呆れ顔で牧野博士を見つめ、それからしばらく物思いに耽るように、ぼんやりとスタンドを見上げた。

「こういうイチかバチかのときに、私を誘った理由が何かあるんですか」

「べつに」

と、牧野は答えた。胸のうちを見透かされたようで怖ろしかった。

「十年も馬券を買い続けて、勝負らしい勝負をしたことがないんだ。一度ぐらい夢を見てもいいだろうと思ってね。もう三十を過ぎたことだし」

言葉に他意はなかった。だが口に出したとたん、二人は真顔で見つめ合った。

「先生は」と、みどりは改まった口調で言った。「とてもお洒落な人か、とても不器用な人か、どっちかですね」

牧野は薄いコートの襟を立てた。

「どういう意味かな」

「プロポーズに聞こえたんですけど、気のせいですか」

「気のせいだよ」

腰が引けてしまった。出走する馬たちが馬道に消えてしまうと、ボーナスを元手に一攫千金を目論むファンたちも、こぞってパドックを去って行った。

「何かおやつを買ってこよう」

いつもならイカ焼きだが、いくらか上品なホット・ドッグを買ってパドックへと戻った。

みどりは階段に腰を下ろして、子供のように膝を抱えていた。午後の光が痩せた体を温めていた。

好意がいつの間にか勝手な愛情に変質し、胸の奥にふつふつと滾り始めていた。教え子であり、齢も離れている。同じ大学の助手と院生なのだから、愛の告白はすなわち結婚の申し出でなければならないと、牧野は頑なに思い詰めていた。

「レースを見ようよ」

階段に膝を並べてホット・ドッグをかじりながら、牧野は言った。

「こわいから、いやです」

「何がこわいの」

「自分の意志で物事を決めない男の人って、こわいんです」

「他意はないって言ったじゃないか」

笑いかけて、牧野は表情を改めた。みどりは体を震わせていた。

「いくら賭けたんですか、あの馬に」

「全財産だよ」

「未来まで賭けたんですね」

ファンファーレが鳴った。

「私、先生のこと、とても堅実な人だと思ってたんです。競馬をやるってことさえ、ちょっと意外だったのに」

「がっかりさせちゃったかな」

「いえ。一生に一度の大切なことを、神様に決めてもらうっていうのも、悪くはないと思って」

みどりは厚いメガネをはずして、場内放送のこだまする空を見上げた。透けるように白い頰をこころもち膨らませて、深呼吸をする。

「私、あの馬が一着になると思います」

博士はカブラヤオーのレースを思い返した。緒戦は中位から伸びた。二戦目は四角で先頭に躍り出た。きょうはいったい、どんなレースをするのだろう。十三頭立ての八番人気。新聞の予想に、印はほとんど付けられていなかった。

ゲートが開いた。

「逃げてるぞ。行こう」

博士はみどりの手を握ると、スタンドに向かって駆け出した。雑踏をかき分け、ホームストレッチを望む階段席に登る。

ファラモンドとダラノーア。追い込み血統の馬がハナを叩いて逃げた。中山のマイルを逃げ切るのは容易ではない。

どよめきの中で、みどりは声を張り上げた。

「すごい、先頭だわ」

牧野は答えなかった。誰の目にも、それは人気薄の玉砕的な逃走に見えたからだ。第一、それほどスピードのある馬ならば、過去の千二百メートル戦は、二戦ともやすやすと逃げ切っているはずである。

初の中山コース、初のマイル戦。このラップを踏んで逃げ切ることなどできるはずはない。

しかし、四コーナーを回っても鞍上の菅野騎手は馬を追わなかった。スピードはいっこうに衰えず、追いすがる馬の影はなかった。

ついには二着のハザマヒカリに六馬身の差をつけて、カブラヤオーは楽々とゴール板を駆け抜けた。

「つまり、こういうことだ」

手を握り合ったまま、二人はカブラヤオーの黒い体がターフを駆け戻ってくるまで、ずっとスタンドに佇んでいた。

世田谷区松原の自宅から東京競馬場まで、三十分ほどで到着する。中山にも一時間以内で行けるのだから、競馬好きにとっては理想的な立地と言える。

この位置がどちらか一方に寄れば、たぶん片方にしか通わないだろうと思う。

亡父から譲り受けた家は戦災を免れた和洋折衷の建築で、耐用年数はとっくに超えている。好景気のころには途方もない値がついたのだが、ひそかに浮かれ騒いでいるうちに売り逃がし、今ではただの古家になってしまった。

二年後の定年退職金で二世帯住宅に建て替え、入婿を迎えられれば幸いだと考えている。いや、実はすでにそうと決めてかかっている。

競馬場には必ず第一レースに間に合うように行く。午後から、などという横着な競馬はしたためしがない。むろん、場外発売所で馬券を買うこともない。

京王線の特急を府中で降り、大国魂神社の参道を抜けて競馬場まで歩くのも、この三十年来変わらぬ、お定まりのコースである。たまたま「府中競馬正門前行」の臨時電車が来ても乗らない。べつにゲンをかついでいるわけではなく、要は他人と同じことをするのが嫌なのである。

スタンドでは指定席には入らないが、やはりこの三十年来、席は決まっている。二階一般席の最上段、位置はもちろんゴール板前である。この席は観戦しやすいのと同時に、馬券発売所も近く、通路が混雑する重賞レースの日でも、何とか席までは戻ることができる。パドックへの往来も便利である。直射日光に晒されることもなく、北風も吹き抜けない。

早起きのファンだけが独占することのできる特等席だから、顔ぶれはいつも同じなのだが、メンバーはたいてい数年ごとに入れ替わる。競馬場通いを小まめに持続できる名人は少いのである。

キャリアで言うのなら、シンザンの勇姿を知っている牧野博士は牢名主のようなもので、つい先ごろまでほぼ同期生の老人がいたのだが、去年のジャパンカップを花道として引退した。最後の馬券がハイライズの複勝を千円。これには後輩たち一同が舌を巻いた。

他の古株では、必ずネクタイを締めているサラリーマンふうの男性と、八王子の商店主だという初老の男。どちらも渋い穴馬券をしばしば的中させる名人である。この二人はかれこれ十年選手であろうか。

互いの名前や素性は知らない。知る必要もないし、あえて聞かぬのは競馬場の礼儀である。

シンザンの勇姿を記憶にとどめており、めっぽう血統に詳しい牧野博士は、特等席の仲間たちから「先生」と呼ばれている。むろん、正体は誰も知らない。

「おはようございます、先生」

開門と同時に早足でスタンドに向かうと、近ごろメンバーに加わった若者が早くも新聞紙を拡げて席を確保していた。

競馬場の朝の空気は何物にも替えがたい。ことに澄み渡った西の空にくっきりと富士山の見える冬の開催は、さわやかさもひとしおである。

「やあ、おはよう。いつも早いね、君は」

「週末は早く目が覚めちゃうんだよね。何だかイレ込んじゃって」

「仕事も朝は早いのかね」

「職人ですから朝は早いです。週末ほどじゃないけど」

礼儀として、余分な会話はここまでである。

博士はコーヒーを啜りながら、若者の横顔を見つめた。

競馬場ではトラディショナルなファンと言える、ブルーカラーの若者。二十年前にも、三十年前にも、スタンドにはそっくり同じスタイルの青年がいた。

髪を短く刈り上げ、首はがっしりと太い。大きなポケットのついたズボンに、ボア襟の作業コート。袖口からは黒ずんだ爪が覗いていた。

特等席の仲間たちは彼を「解体屋」と呼ぶ。つまりそういう職業に従事しているのだろうが、詳しくは知らない。それにしても、どうして休日の競馬場にまで革の編上げ靴をはいてくるのだろう。

解体屋は前の席で声高に騒いでいる若者たちを睨みつけた。階段席をまたいで、博士の隣りに座る。

「あいつら、どう見たって大学生だよな。馬券買ってるのかな」

「そりゃあ、まさか応援だけじゃないだろう」

「親のスネッかじりが、馬券なんか買っちゃまずいっすよね」

さほど齢は変わらないのだろう。解体屋の口ぶりには嫉妬が感じられた。

「君、競馬は長いの？」

「十六からです」

「へえ。それも法律違反だな」

「だけど俺は、親のスネッかじりじゃなかったからね。自分の稼いだ金で馬券買ってたんだから」

「戦績はどうだね」

「勝てっこないすよ。こう毎週朝から来てたんじゃ」

「競馬というものはね、やっきになって勝とうとしちゃいけない。付加価値が本当の値打ちなんだから」

「フカ、カチ、って何すか」

「つまり、趣味とか娯楽とか、ストレス解消とか、老化予防とかね。ほかにも負けた金額に見合うだけの利益はたくさんあるはずだ。それを得ることができれば、競馬は勝ちさ」

ふうん、と解体屋は考えるふうをした。この青年が仲間たちに愛される理由は、まるで体ぜんぶで物を考えるような、こうした素直さだ。

「君、甚だ僭越（せんえつ）だが、ひとつ質問をしていいかね」

「何すか、改まって」

「齢はいくつなの」

「二十五です」

やはりそうだ。二つ三つも老けて見えるのは、社会人としての経験が長いせいだろう。いや、世の中の全体が幼稚になっても、伝統的な職人の世界に生きている彼は、本来そうあるべき「二十五歳の男」の貫禄を維持しているのだ。

日ごろ顔を付き合わせている幼稚な学生たちを思い出して、博士は勝手に得心した。

「あのよ、先生。俺からもひとつ質問していいかな」

「どうぞ」

「あんた、本当に学校の先生なんじゃねえの？」

コーヒーカップを口にくわえたまま、博士は動きを止めた。

「銀行員には見えないかね」

「冗談よしてよ。いい齢してそんなうざってえ銀行員はいねえだろ」

解体屋は前の席の若者たちを一斉に振り返らせるほどの大声で笑った。

「どうしてそんなふうに思ったんだね」

「わっかんねえのかなあ」と、解体屋はまっすぐに博士の目を見た。

「その口のきき方がさ。どう考えたって先生なんだよ。なあ、そうだろ先生」

「ちがう」

博士はきっぱりと答えた。

「無駄話はやめよう。きょうは予習をしていないんだ。君もまじめに検討をしたまえ」


最低の一日だった。

「タコ」とか「ボウズ」とかいう下品な博奕(ばくち)言葉が、無一文になった懐を吹き抜ける。

一レースから十二レースまで、ついでに相互発売の京都三レースと小倉一レース、つごう十六レースをベットリと買って、ついに一度も払戻窓口に並ぶことがなかった。

「そう腐るなって、先生。ツイてねえだけだよ」

解体屋は大勝したのだろう。ゴール前の叩き合いでは、毎度声を張り上げていた。

「あのな、君。簡単に言うが、そのツキってやつが、競馬のすべてなんだよ。ツイてないってことは、ここでは最悪の現象なんだ」

「つまり、学校で言うなら落第生みてえなもんだね」

解体屋は博士の肩を叩きながら高笑いをした。

どうもからかわれているような気がする。

「ひとつ頼みがあるんだが」

「何だよ、電車賃かい」

「いや、それは残してある。ヤケ酒が飲みたくなったんだが、おごってくれないか。明日は勝とうが負けようが、僕がおごる」

あいよ、と解体屋は軽い返事をした。この青年はどんな言葉も、意味のない廃材を担ぐように、ひょいと受け止める。

「ワイドなんか買ってるからだよ、先生」

その一言は聞き捨てならなかった。しかし、敗者が語るのは見苦しい。人混みの中を西門の掛茶屋めざして歩きながら、博士は胸の中で呟いた。

(駆け出しの若僧が何を言う。俺はシンザンをこの目で見たんだ。タケシバオーだって、スピードシンボリだって知っているんだ)

たしかに、昨年の暮から負けが込んでいる。その元凶はワイド馬券のような気がしないでもない。

博士のような臆病者にとって、ワイド馬券の登場は願ってもない福音に思えた。しかしいざ蓋を開けてみると、これがなかなか当たらない。馬券が一枚よけいに増えただけのような気がする。

「君は、ワイド買わないのかね」

「買うよ。でも、勝負馬券の押さえだな」

なるほど、と博士は思った。勝負馬券の押さえに一点だけワイドを買うというのは、数学的にも理に適(かな)っている。

だが、解体屋の頭の中に数学があるとは、どうしても思えない。

「で、その根拠は？」

「だってよ、二着でもいい、三着でもいいっての、何となく根性なしじゃないの」

「根性なし、か……」

「そりゃね、当たりを楽しむんならいいよ。そういう競馬をやるんなら。でも、勝ちと当たりはちがうじゃないの」

頭上に、解体屋の鉄球が落ちたような気がした。掛茶屋の雑踏の前で、博士は根の生えたように立ち止まってしまった。

「どうしたんだよ、先生。俺、何か気に障ること言ったかな」

「いや、そうじゃない」

と、博士は気を取り直して顔を上げた。

「僕は今まで、当たりだけを追い求めていたような気がする。勝とうという覇気に欠けていた。目からウロコだよ」

「バッカじゃねえの。何だってそうもクソ真面目に考えこむのさ。さあ、飲もうぜ」

府中の西門に軒をつらねる掛茶屋は、博士が競馬を始めたころとどこも変わらない。そこを利用する人々の顔も、話題も、献立も、昔のままだ。

長椅子の端に体をねじこむようにして座る。解体屋は壁に貼りつけられたメニューを眺めながら、博士の意思も聞かずに注文をした。

「とりあえずビールでいいね。あと、刺身と煮込み。おでんとおしんこ」

「おいおい、そんなに食えないよ」

「厄払いだよ、先生。しみったれた飲み食いをしてると、明日も負けるぜ」

壁の古写真が目に止まった。

第四十二回日本ダービー。昭和五十年五月二十五日。

ウイナーズ・サークルに立つ、黒鹿毛（くろかげ）の馬。

「へそ曲がり。これほど堅いダービーはないって、ずっと言ってたくせに」

ビールを一息に呷（あお）ると、みどりは溜息をついた。

ダービー当日でも、競馬場に女性客の姿はまばらだ。ましてやレース終了後の掛茶屋に女はいない。テーブルを囲む男たちは珍しげにみどりを見つめて笑っている。

正月に里を訪ね、二月には結納をかわし、皐月賞の前日に挙式をした。性急なスケジュールは、周囲の噂を怖れたからだった。

三月に大学院の修士課程を修了すると、みどりは松原の家に収まった。学問に未練はないのかと訊くと、学者になるのも学者の女房になるのも似たようなものだという答えが返ってきた。

将来を期待される優秀な学生だったのだから、悩まなかったはずはない。だが、苦悩は顔に出さなかった。みどりは潔い性格だった。

「窓口で、ふと魔がさしたんだ」

「魔がさした？」

「うん。カブラヤオーはトライアルのＮＨＫ杯で七連勝だろう。ダービーを勝って八連勝だなんて、うますぎやしないか」

みどりは蔑むような目を夫に向ける。

「うますぎる、ですって？　ということはあなた、そういう非合理的な理由で、カブラヤオーを切っちゃったってわけ？」

「いや、合理的な理由はある。カブラヤオーはどう考えてもマイル血統だ。二千メートルまではスピードのちがいで押し切るとしても、府中の二千四百を逃げ切るなんてとても考えられない。ましてや二十八頭立てで、ハイペースはまちがいないし」

「まあ、窓口に並んでいるうちにふと考えた理由にしては、まともだわ」

結婚したとたんに、みどりの掌のうちに入ってしまったように思える。自分の性格はそんなにわかりやすいのだろうか。

挙式を境にして、「先生」が「あなた」に変わった。その豹変ぶりにはいささか面食らったが、悪い気持はしなかった。教え子から妻へと人生の鞍替えをするのには、呼び方から言葉づかいまでをいっぺんに改める思い切りが必要だと、みどりは考えたにちがいなかった。

「オッズを見ちゃったんでしょう」

図星である。ふと魔がさした理由はそれだった。

発売所の行列の真上に単勝のモニターがあった。カブラヤオーの単勝人気が二・五倍から二・四倍に下がったとたん、ロングファストのオッズに目が行ってしまったのだった。

「見たんじゃないよ。たまたま目に入ったんだ」

うろたえてはならない。オッズは馬の強さのバロメーターではないのだから、決して惑わされてはならないというのが、博士の持論だった。

だが、惑わされた。二十八頭立てのうちの一頭の人気が、たったの二・四倍しかないという事実が非常識に思えたのだ。

「皐月賞では二・三倍の単勝を山ほど取ったあなたが、どうしてダービーの二・四倍を買えなかったのか。答えは簡単よね。オッズを見ちゃったから」

みどりはふいに掌を上げて、博士の頭を撫でた。

「でも、窓口で魔がさすっていうの、あなたらしくていいわ。今とっても後悔してるんでしょう」

「いやはや、面目ない」

と、博士は妻のなすがままに頭を垂れた。

「ところで、ビールがおいしいわ。もう一本いいかしら」

言いながらみどりは、手品師のような手つきで的中馬券を博士の目の前に差し出した。

「千円が二千四百円。ビール代ぐらいは出たわ」

「酔っ払うなよ。おふくろが何だと思うぞ」

「大丈夫。おかあさんはもう知ってるから」

「知ってるって、何を」

「おかあさんもそうだったって。あなたがお腹にできたとき、ビールがむしょうに飲みたくて、隠れて飲んでたんですって」

博士が驚くより先に、向かいの席に座っていた男たちが、いっせいに喚声を上げた。

見知らぬ手が、妻のグラスにビールを注いだ。

「あんたの亭主はどうしようもねえぐらいズブいな。乗り役さんはさぞくたびれるだろう」

四方から差し出される祝福の手をわけもわからず握り返すうちに、博士はやっと、自分が父親になったのだと知った。

冬枯れた庭先に、叔母がひょっこりと姿を現した。

スープの冷めぬ近さに住んでいる叔母は、真由美の母親がわりだった。

「パパさん、競馬？」

「うん。暗いうちに起き出して、イレ込んでたわ」

「これ、おすそわけ。どういうわけか今年は、あちこちから林檎ばっかり。この間のも、まだ残ってるでしょうけど」

「いつもすみません。ありがとう」

手渡されたビニール袋を覗くと、大きな実が自分に向かって微笑みかけているようだった。叔母の顔に似ていると真由美は思った。

たぶん、先週のものと出所は同じなのだろう。つまり、おすそわけに言寄せて、叔母は訪ねてきたというわけだ。

「シーツ干しちゃったら、お茶を淹れるからね」

「手伝うわ」

と、叔母は洗濯かごの中からシーツを取り出した。

あまり話しこみたくはない。

「いくつになっても落ちつかないわねえ、パパさん。競馬って、そんなに面白いのかしら」

「ほかに道楽がないから。お酒もそんなに飲まなくなっちゃったし」

息子が嫁をもらい、二人の娘は嫁いだ。きっと叔母は、自分を末娘のように思ってくれているのだろう。決して結婚を急ぐ年齢ではないのに、次から次へと縁談を持ちかけてくる。

（そういう時代じゃないのよ、おばちゃん）

その一言は、どうしても口に出せなかった。

「会うだけでも会ってみてくれないかな。主人の部下なんだけどね、二十九で次男坊。背が高いのよ。ニューヨーク支店に三年いて、ついこの間こっちに帰ってきたの。もちろん英語はペラペラ」

時代錯誤も甚だしいと思う。たしかにこの古家の庭先には、よく似合う会話だけれど。

「仕事はできるんだけどね、ちょっと大人しいの。ああいうタイプは所帯を持つとガラッと変わるんだって主人が言ってたから、ちょうどいいやって」

「ちょうどいい、なんて――」

真由美は叔母を睨みつけた。悪気はないのだろうが、江戸ッ子かたぎの叔母の言葉には刺がある。

「あら、ごめんね真由美ちゃん。でもさ、よおっく考えてみて。そりゃあ、あなたの会社にも素敵な男の人はたくさんいると思うわよ。言い寄ってくる人だって少くはないと思うけどね」

「いませんよ、そんな人」

「何だかんだ言ったって、銀行員はいいわ。まずお給料がいいし、都市銀行ならつぶれる心配もないしね。ほら、ビッグバンとか何とかで、銀行は大きいもん勝ちなのよ。主人のところはナンバー・ワンだからね」

叔母の声から身をかわして、真由美は縁側に上がった。日だまりに丸くなった仔猫を抱き上げる。

「大きくなったね、オグリちゃん」

真由美の機嫌を窺うように、叔母は猫の名を呼んだ。

去年の暮に、同じような話をひとつ断った。そのときは叔母の家に生まれた仔猫を一匹、引き取ることでお茶を濁したのだ。そうした経験を考えると、叔母の猫撫で声も胸に刺さる。

「あのねえ、おばちゃん。これだけは言っておきたいんだけど――」

猫に頰ずりしながら、真由美は思い切って言った。

「お見合いとか、紹介とかね、そういう結婚の仕方って、今はちょっと常識にかからないって思うの」

「あらあら、べつに堅苦しいお見合いをしろなんて言ってやしないわ。まずはお友達から――」

「お友達から恋人になって、別れましたじゃすまないでしょう」

「そりゃまあ……先さんの立場を考えるとね」

「つまり結婚が前提じゃないの。やっぱりお見合いよ」

オグリを肩に載せて、真由美は台所に行った。あちこちを補修した古い床から、冷たいすきま風が忍び入る。

山の手のプチ・ブルジョアを絵に描いたような家。昭和の初めから時間を止めてしまったこの家で、自分は育った。逃れることのできぬ檻のように思うこともある。

「こうして見ると、真由美ちゃんはおかあさんそっくりね」

叔母はしみじみと真由美の背中に向かって言った。

「今から思えば、みどりさんは良くやったわ。パパさんは手のかかる子供みたいだし、頑固者のおじいちゃんと口うるさいおばあちゃん。私なんかにはとても務まらない」

中学生のときに急死してしまった母のおもかげは朧である。思い出そうとしても脳裏にうかぶのは、病院のベッドのビニールごしに微笑む、青ざめた顔ばかりだった。

祖父母とはうまくやっていたと思う。母が死んだとき、父はさほど悲しみをあらわにはしなかったが、祖父母の嘆きようは痛ましいほどだった。きっと、可愛い嫁だったのだろう。

「正美さん、どう、このごろ」

「どうもこうもねえ」

叔母は溜息まじりに言った。叔母と嫁との不仲は、真由美にとっても悩みの種だった。かわるがわるやってきては、真由美こそは自分の味方だとばかりに愚痴をこぼす。言われれば相槌のひとつも打たねばならない立場は辛い。

「真由美ちゃんを貰えば願ったり叶ったりだったんだけどねえ。うちの主人だって、それが一番いいって言ってたのに」

「いとこ同士は遺伝学的にはよくないって。パパさんが理屈をこねるもんだから」

「でも、そんなことよりも私がいやだったもの。おにいちゃんが旦那さんになって、おばちゃんがおかあさんになるなんて、考えられなかった」

「やっぱり、若夫婦と同居するっていう時代じゃないのかねえ。せっかく二世帯住宅に改築したのに、あれは余計だめだわ。よそよそしくなっちゃって」

「家のせいにするのはよくないわよ。どっちにしろ一生付き合ってくんだから、仲良くしなきゃ」

「真由美ちゃんも、結婚したらパパさんとは別居したほうがいいわよ」

「そんなの、無理よ。ひとりじゃ何もできないんだから」

叔母には迷惑をかけたと思う。祖母が亡くなってからというもの、叔母は家を二軒持っているようなものだった。まるで通いの家政婦同然に、掃除も洗濯も食事の仕度も、父の身の回りの世話もすべてしてくれた。

「おばちゃん――」

ふと思いついて、真由美は茶を淹れる手を止めた。

「なあに」

「いえ……何でもないわ」

思い過ごしにちがいない。だが、突然うかんだ推理は真由美の頭の中で化物のように膨らんだ。

「いけない、いけない。亭主をほっぽらかしで油売ってちゃ叱られる。あの人こそ休みの日ぐらい競馬にでも行ってくれりゃいいのに。ゴルフをやめたと思ったら、週末は家でごろごろするばかりでね。また来るわ。さっきの話、考えておいてよ」

「お茶、入ったけど」

「ごめんね、お邪魔さま」

勘のいい叔母は、真由美の心の動きを読み取ったのだろう。だとすると、思いうかんだ推理は当たっているのかもしれない。

湯呑みを持って、廊下のつき当たりにある父の書斎に入った。タバコのヤニが真黒にしみついた八畳の洋間。親子二代の学者が使いこんだ、神聖な知の城である。

探し物はすぐに見つかった。銀行の大きな角封筒に入った見合い写真と履歴書。

叔母がいつそんなものを持ってきたのか、真由美は知らない。暮の大掃除のときに、たまたま封筒を開けてしまった。もちろん、父を問い質しはしなかった。

読書用のロッキング・チェアに座ると、仔猫が膝に乗ってきた。

「私のじゃないのよ、オグリ。パパさんの」

きれいな人だと思った。きちんとスーツを着て、写真館で撮した正式の見合い写真なのだから、先方にははっきりとした意思があるのだろう。

「どう思う、オグリ。四十五歳、初婚。京都大学文学部卒だって、すごいわね。新聞社の学芸部デスク。忙しいんじゃないのかな。それとも、仕事やめるのかしら」

仔猫は真由美を見上げて、抗うようにニャアと鳴いた。

「だめだめ。パパさん、最後のチャンスかもしれないのよ。つまり、このままじゃ私もパパさんも結婚できないから、二人いっぺんに面倒見ちゃおうってことね」

離れわざだと思う。だが、誰よりも父と自分の幸福を希っている叔母の、悩みに悩み抜いた末の秘策にちがいなかった。

自分は結婚してこの家を出る。そして、父は妻を迎える。偏屈者にはちがいない父の老後の平安は、たしかにこの方法以外には約束されないのかもしれない。

写真を見つめているうちに淋しい気持になった。

こんな古家に婿に入って、父とうまくやっていくような都合のいい男など、いるわけはないと思う。かと言って、父を残して嫁に出ることもできるはずはない。

母が死んだときにも嚙みつぶした涙が、眦（まなじり）から溢れた。不幸は自分を泣かせなかったのに、幸福が涙を流させるなんておかしい、と真由美は思った。

「ところでよォ、何で俺があんたを家まで送っていかにゃならねえの。大国魂神社の駐車場にトラック置きっぱなしでよ。明日の最終レースの後でお迎えに行ったら、目の玉が飛び出るぐれえに金取られるんだぜ。半分出せよな」

陽気な酒である。物を壊す仕事はストレスと無縁なのだろうか。

掛茶屋を追い出されてから府中駅前の居酒屋で飲み、明大前の行きつけの酒場を出たころには、二人とも正体がなくなっていた。支え合いながら冬の夜道を歩く。

「送りついでに、きょうは泊まっていきたまえ。どうせ明日も一緒だ」

「そりゃいいや。娘の酌で飲み直しか。おい、紹介しろよ、おやじ。どうせあんたの娘ならブスにゃちげえねえだろうけどよ」

「いや、まともに見たら目がつぶれるぞ。あいつは母親に似たんだ」

「泣かせるねえ、先生。男手ひとつで育てた娘が、死んだおふくろに生き写しってかい。ひィ、かわいそうだァ」

「おい、どうした」

解体屋は博士の腕を振りほどくと、電信柱にしがみついて、ごつごつと頭突きを入れた。

「君、何も本当に泣くことないだろう」

陽気な酒は一転して泣き上戸になった。いずれにしろ、齢のわりにはずいぶん垢抜けた酔っ払いだ。

「俺な、実はさっきから先生の愚痴を聞いてて、ずっと我慢してたんだ。ひィ、かわいそうだァ」

通行人が二人を避けるようにして通り過ぎて行く。博士は解体屋を電信柱から引きはがし、抱きかかえるようにして歩き出した。

「あのな、先生。俺の愚痴も聞いてくれっか」

「ああ、聞いてやるとも。何でも言いたまえ」

「あんまり調子くれるのも何だと思って黙ってたんだけどよ。俺、ガキのころに両親が離婚しちまってよ、そんで、中学のときからグレちゃって——」

解体屋は歩きながら、ほいほいと泣いた。この愚痴は酒のせいではないと思う。胸の中にわだかまっていた思いのたけが、物のはずみで噴き出したのだ。

「言え、みんな言ってしまえ。僕がぜんぶ聞いてやる」

「そんでよ、高校も行かずに大工の見習になったんだけど、生まれつき手先が不器用でよ。わかるか、先生。不器用な大工って、最悪なんだぜ。病弱な医者とかよ、ブスのモデルとかよ、口下手なアナウンサーとかよ、陽気な葬儀屋とかよ、ともかく、いくら努力したってだめなんだ」

「なるほど。それで解体屋か」

「うん。親方が紹介してくれたんだ。ぶっ壊すのにァ、器用も不器用もねえもんな。体が良けりゃいいんだ。これが天職だって、ああ情けねえ」

「何を言うんだね。職業に貴賤はないよ」

「あ。やだな、その言い方。貴賤があるよって言ってるのと同じなんだよな——あれえ、ここどこだっけ。あんた、誰？　どうして俺と二人三脚なんかしてるの」

酔いに任せて、自分は言わでもの愚痴をこの男に聞かせてしまったらしい。日ごろ酒をくみ交わしている学者仲間や学生たちとは、まったく違ったこの朴訥（ぼくとつ）な男に、すっかり気を許してしまった。

おそらくこの若者も、同じ世界に住む友人たちに自分を晒け出すことはないのだろう。だから、こうして互いに毒を吐くような愚痴を言い合っている。

「そんで、何だ。かみさんの好きだったそのカブラヤオーって馬は、そんなに強かったのかい」

「ああ、強かった。十三戦十一勝。負けたのはデビュー戦の二着と、あと一度きりさ。屈腱炎で菊花賞は断念したが、出走していればまちがいなく三冠馬だった」

緑なす五月のターフを、一気呵成に逃げ切った黒鹿毛の馬の姿が、瞼に甦った。四コーナーからゴールまで、妻はその名前を、声を限りに叫び続けていた。

「忘れろよ、先生」

解体屋は博士の背を叩いた。

「そうはいかない。競馬は記憶のゲームだ」

「勝ったことだけ覚えてりゃいいんじゃねえのか」

「いいや」と、博士はかぶりを振った。勝ち負けではない。決して忘れてはならないものはある。

かたときも、みどりを忘れたことはない。愛の言葉を口にしたことは一度もなかったけれど、死に別れてからもずっと、みどりを抱いて眠った。

垣根の続く古い住宅街に入ると、解体屋の体は重くなった。

「先生、俺、やっぱ帰るわ」

「どうして。遠慮するなよ」

「悪い予感がするんだ」

「もう、すぐそこだよ。ほら、その角を曲がって――」

「やべえよ。何だってよォ、こんなことになっちまうんだ。おい、先生。あんたやっぱり学校の先生だろ」

「それがどうしたんだね」

「俺もバカだよなァ。女房に死なれて、娘と二人暮らしの大学の先生なんてよ、そうはいねえよな。しかも、競馬が三度の飯より好きだっての」

玄関の呼鈴を押す。大時代なブザーが家の中で鳴り、真由美の明るい声が聴こえた。

「なあ先生。いくら古い家だからって、インターホンぐらい付けろよな。ああいやだ。

目の前が真暗になった」

「気分が、悪いのかね」

「今にも吐きそうだぜ」

「我慢したまえ。玄関先を汚されても困る」

引戸の鍵が回される。たてつけの悪い扉はあっさりとは開かない。よいしょ、と真由
美の白い指が引戸のすきまに差しこまれた。

「玄関ぐらい直せよな」

「直すより壊したほうが早いんだ」

「吐いてもいいか」

「待て、ちょっと待て。玄関のすぐ脇がトイレだ」

お帰りなさあい、と言ったまま、真由美は口をあんぐりと開けて立ちすくんだ。

ぼんやりと灯る軒灯の下で、三人はしばらくの間じっとしていた。

昭和が平成と改まった年の秋の終りに、妻は短い生涯をおえた。

その日、牧野博士は一生に一度きりの嘘をついた。

集中治療室のビニールの被いごしに馬券を見せると、妻はうっすらと目を開けて肯いた。

「勝ったぞ、みどり。オグリキャップが勝った。二分二十二秒二のレコード勝ちだ」

驚異的なタイムに間違いはなかったが、オグリキャップはニュージーランドのホーリックスにクビ差およばなかった。

酸素マスクを付けたまま、妻の瞳にわずかな歓びのいろがうかんだ。

「競馬はやっぱり血統じゃないよ。強い馬は強いんだ」

ダートの短距離しか走らないといわれたダンシングキャップ産駒。しかも曲がった足で生まれ、自力で立つこともできなかった馬が、公営の笠松競馬場からジャパンカップまでを、一直線に駆け抜けた。

オグリキャップが勝てば奇蹟が起きると、博士は勝手に決めていたのだった。

「有馬記念は、一緒に行こうじゃないか。オグリを見に行こうよ」

痩せ衰えた妻の体には、おびただしいチューブが絡みついていた。これが妻の運命であるとは、どうしても思えなかった。自分は妻のすべてを、その命までも奪いつくしてしまったのだと思った。夢を奪い、未来を奪い、ついには命までも奪ってしまったのだ、と。

愛の言葉すらついに一度も口にすることはなかった。

(競馬をやめたりしないでね。あなた、ほかに楽しみは何もないんだから)

寿命を悟ってから、口癖のように妻はそう言った。

血圧が下がり、心搏が危うくなった。医師がビニールの被いを開いた。

「みどり。おい、みどり。死ぬな」

妻の魂を呼び戻そうと、博士は名前を呼び続けた。

「みどり、みどり、みどり」

細い顎をわずかにもたげると、妻は永遠のターフを走り去ってしまった。


四階の指定席からは、富士山や丹沢の山々が手の届くほどの近さに望まれた。雲のかけらもない、冬晴れの朝である。

夜の更けるまで飲み、三人ともそのままコタツで寝てしまった。ことの成り行き上、早朝から連れ立って競馬場に向かった。

父がC指定席の列に並んだのは、たぶん顔見知りに会いたくないからなのだろう。競馬仲間にこの三人の関係を説明するのは、なかなか難しい。

「どうせ早起きするんだから、これからは指定に入るとするか」

双眼鏡のピントを合わせながら父は言う。

「酒が抜けねえなあ。コーヒー買ってきます」

「すまんね。僕はブラックだ」

恋人がつかの間去ってしまうと、いたたまれぬほどの気まずい時間がやってきた。

「真由美ちゃん」

「はい」

父は遥かな山なみに目を細めて言った。二人きりになると、どういうわけか言葉遣いが改まる。

「よさそうな人じゃないですか」

「よさそう、じゃなくって、とてもいい人よ」

うん、と父は声に出して肯いた。

「価値観がちがうというのは、実にいいことなんですね。意外な発見だけど」

「そういうことって、あんまり関係ないんじゃないかな。いい人は誰にとってもいい人なのよ」

父はまるで別人のように、夜更けまではしゃいでいた。娘の恋人に気遣っているのではなく、天真爛漫にうちとけ合っていた。少くとも彼は、父にとって必要な人間だろうと真由美は思った。

「面倒なことは何も訊ねませんがね。ひとつだけ、教えてくれますか」

「なに？」

「ああいう毛色のちがう人と、いったいどこで知り合ったんですか」

「インターネットよ」

ほう、と父は小さく驚いた。

「パソコン通信とかいうやつかね」

「文通みたいなものだもん。べつに不自然じゃないでしょ」

少し考えるふうをしてから、父は勝手に得心した。

「で、この先どうするんですか」

「どうするって?」

「つまりだね、君たちの将来のビジョンさ」

「パパはどう思うの」

「親の考えなどどうでもいいでしょう。パパだってママと一緒になるときは、おじいちゃんにもおばあちゃんにも相談なんかしなかった」

「あのね、パパ——」

真由美はしばらく言い淀んだ。ありのままを語らなければならないが、言葉は父を傷つけるかもしれない。

「あの人、会うたびに十回も言うの。俺のカミさんになれって」

父の肩がかすかに揺れた。

「真由美ちゃんの答えは、どうなんですか」

「困ってるの」

「どうして困るんだね」

もう返答に窮する理由はなくなったのだと真由美は思った。父と彼が、あんなふうにうちとけ合うとは考えてもいなかった。

父は俯いてしまった。

「真由美ちゃん。君はパパのことを誤解してますね」

いったい何を言い出すつもりなのだろう。言葉が声にならずに、父は俯いたまま咽を鳴らした。

「パパは、君のために再婚しなかったわけじゃありませんよ。おばちゃんや大学の人たちが持ちかけてくる話をずっと断り続けてきたのはね、べつに真由美ちゃんに配慮したわけじゃないんです」

父の声は快かった。まるで競馬場のスタンドが、大学の教室みたいだ。

またしばらく言葉を探してから、父はきっぱりと言った。

「ママを、愛してるんです」

泣いてはいけないと真由美は思った。

「ありがとう、パパ」

ようやくそれだけ言うと、真由美は真青に晴れ上がった空を見上げた。

こんなに不器用な父と、一生うまく付き合っていくことのできる人は、たぶんあの人しかいないと思う。

不器用な婿さんが、段ボール箱に紙コップを載せて戻ってきた。

「ああ、ああ、こぼしちゃった。はい、お待たせ——ところで先生よォ、ゆうべの話だけどさ」

「何の話だね」

父はコップを受け取ると、肩をすくめて一口すすった。

「真由美ちゃん、ちょっとどいて。先生と仕事の話」

親子の間に割り込んで座ると、彼は真顔で言う。

「そりゃあ、この不景気だから手も余ってるし、家をぶっ壊して建て替えようって話は有り難いんだけどね。あの家、まだもったいねえよ。ガラス戸と玄関をサッシに替えりゃ、十分使えるって。な、そうしようよ」

「そうかね」

とぶっきらぼうに呟いたなり、父は双眼鏡を構えてしまった。

新馬戦の若駒たちがダートコースに姿を現した。

あの中に、未来のカブラヤオーやオグリキャップがいるのかもしれない。

先頭の馬が四コーナーを回ったなら、母とそっくりの声を張り上げようと真由美は思った。

ゼッケン六番、エバーグリーン。

勝つのはきっとあの馬だ。

解説【姫椿】のこと。

金子成人

浅田次郎さんの作品に関わったのは去年が初めてで、それが『ラブ・レター』（放送は今年六月）でした。続いて今年は『天切り松　闇がたり』にも携わることになったご縁で、この短編集の解説などという役目を引き受けてしまったのですが、生憎わたしは文芸評論家でもなんでもなく、テレビ映画舞台の脚本を書いてる人間です。たまに落語も書きますが。ま、それはさておき、作品の解説は専門家に任せるとして、これまで幾つもの小説を原作にして脚本を書いてきた経験から、小説をどんな風に読み、どんな風に〈料理〉してきたか、あるいはするのかという〈解説〉を試みようと思います。

これまで映画や舞台の脚本も書いてきましたが、テレビの世界が長いので、ついついテレビドラマを作るという視点で語ることになるのをご了解願います。

脚本化するには困る作品というのがあります。困ると言ってもそれには二種類ありまして、その一つは、原作を少しでもいじるのを嫌がる作家の作品です。これは非常に困ります。小説としては成立していてもドラマにするには別のテーマにしたり、登場人物や設定を変えなければならないことがあるのです。表現媒体が違えば当然そうなるのですが、それを理解しない原作者も稀にはいるのです。

もう一つ困る作品というのは、脚本家の創作を入れる余地のないくらい出来上がってる小説です。料理人がその腕を揮えないままお客に料理を出すなど悔しいじゃありませんか。小説をそのまま脚本という形にするだけじゃ、同じ物書きとしてはやはり忸怩たるものがあるわけです。だから、そんな作品は読むにとどめて、出来れば脚本作りからは逃げたいくらいです。

テレビというメディアは小説とは勿論違いますが、映画や舞台ともやはり一線を画してると思ってます。家庭の、あるいは町中の食堂喫茶店の中に家具のようにあるテレビジョンと、日常とは違う空間で見る映画や舞台とはやはり違いがあるのです。人間ドラマを書くことに違いはないのですが、手法によっては馴染まないことがあるのです。

そんなことを考えさせられるのが『再会』と『零下の災厄』です。

『再会』は、主人公の〈私〉が久しぶりに再会した九鬼という男から聞かされる、百合江という女との昔の恋物語の顚末です。九鬼は最近百合江と再会したというのです。何も声を交わしたわけではなく、ただ見かけた程度なのですが、日を経ずして二度も見かけたというのです。一度目は裕福で幸せそうな結婚をしている百合江、ところが二度めに会った時はなんと結婚詐欺で捕まって護送されている百合江なのです。

九鬼本人は決して見間違えでも仮想でもないと言うのですが、九鬼家からの帰途、〈私〉自身、浮浪者の中にいる九鬼の細君の姿を見てしまうのです。これなどはテレビにするのが難しい。日常の時間の流れの中にあるテレビジョンでは、このような仮想と現実の入り混じったものはどうも馴染まないのです。いや、例えば〈世にも不思議な物語〉などという番組のコンセプトを、前もって視聴者に知らせておけば、作品の中で不思議なことが起こっても「そんな馬鹿な」という思いを喚起させることはなくなるのですが。テレビドラマにするには手数のかかる作品でしょう。

『零下の災厄』は舞台でやっても面白いのではないだろうか。しかし、泥酔した謎の女が最後まで眠りつづけるという訳にはいかない。やはり主人公となんらかのやり取りをする必要があります。原作では、主人公の柴さんは誠実そのものですが、このキャラクターを変えることでお洒落なコメディにもなるし、サスペンスにもなりうる素材です。柴さんが抱え込んだ女も、女を迎えに来るヒコムラという男も小説では正体は明かされません。ですが、もし舞台化するときにはそのあたりを僕は考えるわけです。どんな人物でどんな背景にするか。舞台は柴さんのマンションの一室のみ。女を抱え込んだその夜、里帰りしていた柴さんの奥さんが突然帰ってきたらどうなるか、あるいはこうるさい自治会長が部屋を訪れたらどうなるか。この主人公を例えば西田敏行さんがやったらどうだろう、柄本明さんだったら佐藤B作さんだったら——、こんな風にいろんな創作のイメージを与えてくれる作品は嬉しいものです。

さっき〈料理〉すると言ったのはこのことです。脚本家としては、与えられた素材を使って料理しなければなりません。煮たり焼いたり、刻んだり叩いたり、形も色も変えてしまうことはあります。ありますが素材の風味や持ち味を損ねてはいけない。それを尊重しながら自分流の料理を創り上げるのが〈料理人〉の腕というものでしょう。その結果、素材提供者に、「あんな風に料理しやがって」と言われ、視聴者に「不味い」と言われたら料理人としては再度修業に励むしかないのです。

小説や映画、舞台やアニメではどうということはないのに、テレビドラマではどうかなどというジャンルの一つがファンタジーです。ファンタジーのようなものはいいのですが、ファンタジーそのものは小説をそのままドラマにするのは難しい。この短編集の中で言えば『獬(シエ)』や表題作の『姫椿』でしょうか。

〈シエ〉というのは中国の伝説上の動物とあります。顔は麒麟で角は鹿、足が牛で尾は虎、その上体全体は鱗に被われているというのです。身の回りには存在しない動物を登場させた途端、視聴者の心情を素にしてしまう危険がありそうです。これが暗い映画館だったら見るほうも「へぇ」というだけで話に入っていけるのですが。

例えば『グレムリン』という映画がありました。あの作品にはこの世のものとは思えない動物が重要な役割で出てきます。それでも見られるのは映画館という特殊な場所で見るからだし、仮にビデオで見た人も、これは映画だという認識のもとに見るから、すんなり入り込めると思うのです。それにこんな動物をチャチくなく使うには費用と時間がかかりすぎてテレビの低予算では到底無理だというのもあります。その点『姫椿』には、予算や時間の制約はないのですが、経営に行き詰まり自殺まで決意した高木さんがタクシーを下りて訪れるかつてのアパートや風呂屋の位置付けが厄介になる。もしかするとあの体験は幻想かもしれない。原作にはそのことはなんにも説明されていないから、かもしれないというしかないのです。小説ではそれで成立してもドラマではそうはいかないのが辛いところで、かつて暮らしたアパートを見るのも椿湯に入ったのも、タクシーの中でつい眠ってしまった高木さんの一瞬の夢の出来事にするという捉え方で創る手はあるようです。仮想の世界に足を踏み入れる経験を持つ人は殆どいないが、思い悩んで夢を見ることは多くの人が体験しているはずだから違和感を抱くことはないと思うのです。

以上の作品とは違って以下の四作品はごく日常の現実的な世界の物語です。

小説などを読む時、脚本家という仕事柄か素にして読むことを忘れている。読みながらついつい脚本にするにはどうしたらいいかと考えながら読む癖が、悲しいかな身についているのです。

『マダムと咽仏』を読みながら、なんの脈絡もなく、この作品の中に流す音楽はシベリウスの交響曲第二番がいいなどと思ってしまう。何も理由などないのです。ふとそう思ってしまうのです。中学のころから音楽の成績が悪く、故に楽器も能くしない僕は、その反動か脚本の中に音楽を指定することがよくありますし、音楽を決めて脚本を作ったこともあります。冬の北海道のスキー場を舞台にしたテレビドラマでは〈歌劇こうもり〉の序曲を使ったし、映画『桃尻娘』の第三作目の時は八代亜紀の〈おんな港町〉を頭に浮かべて母子の売春婦を登場させた。その母子が〈おんな港町〉の曲が流れる中、港の岸壁を不敵に闊歩するという映像が浮かんだのです。何も実際その音楽を使うということではないのです。脚本を書く時、その曲調や曲の匂いが書く時のより所になることも僕の場合何度かありました。

『トラブル・メーカー』は今日的な題材ですが、脚本にするには〈私〉が飛行機の中で隣り合わせた浜中から聞くという伝聞形式はやめて、当事者の浜中さんの身に起こったことを描くことになるでしょう。その場合、小説では省いてある浜中さんの細君と仙田という部下の接触の経緯も書かなければならないと思いますし、仙田と年上の社員鈴木さんとの顚末もある程度描く必要があるでしょう。同じようなことは『永遠の緑』にも言えます。妻に先立たれた大学助教授の牧野さんには年頃の娘がいて二人暮し。助教授の唯一の楽しみは競馬で、そこで知り合った若者が実は牧野さんの娘の恋人だったというのが終盤判明するのです。その娘と若者の関係を伏せていることで読者をカタルシスへ導くことは小説では成立するのですが、ドラマとなるとそうはいかない。ですから娘と若者の関係は途中で見てる人に知らせておかなければ脚本家は卑怯者と言われるかもしれない。しからばどうするか。父親を騙すしかないのです。騙すというか、視聴者に娘と若者の関係を知らせておいて、それが父親の牧野さんにどうやってばれるのか、ばれたらどんな反応を示すのかというドラマにするしかないのではあるまいか。

『オリンポスの聖女』は、男性の読者には多かれ少なかれ胸をチクリと刺される作品ではないだろうか。塚原一郎と典子の若い頃、先々どうなるか見えない頃の恋の顚末がせつなく描かれています。その時の女を〈捨てた〉という思いがあればあるだけ、三十年以上も過ぎた歳月の再会は苦い。この作品は、これをどうこう料理するというより、身に覚えのある人それぞれがそれぞれの『オリンポスの聖女』を書けるのではないかと思いますが如何でしょう。

しかし胸の奥で疼く痛みに手を伸ばして撫でさすりたいが、痛む患部には容易には届かないのだ。それがなんともやるせないのです。

月日の残酷さというものでしょう。

『オリンポスの聖女』を読んでいると、去年『ラブ・レター』を脚本化した時のことが思い出されました。周知の作品であり、既に映画化されていました（生憎見てません）から、出来如何では何を言われるか知れたものじゃありません。

僕は開き直るしかありませんでした。高野吾郎という男に自分を投影、仮託しようと。『オリンポスの聖女』の一郎のように、過去において女性を傷つけたことも、恐らくありました。女性に限らず、周りを傷つけたこともあります。そんな自戒をこめて『ラブ・

レター』を書いたのです。その結果、原作にはない吾郎のラブ・レターを創ってしまいました。もし浅田さんが〈困った人〉なら、文句を言われたはずですが、今日まで果たし状が来ないところをみると、許していただけたようです。

浅田さんはどうやら〈困った人〉ではないようですが、〈困った作品〉が多いのです。『天切り松　闇がたり』もそんな作品でした。すぐにでも脚本に出来そうな作品なのですが、こういうのが案外手強いのです。『あなたならどうする？』なんて突きつけられてるようで――。だから挑みたくなるのです。

落語に『饅頭こわい』というのがありますが、僕は『浅田次郎こわい』の今日この頃です。

（脚本家）

初出誌

獬（xiè シエ）　「オール讀物」一九九八年五月号
姫椿　〃　一九九九年二月号
再会　〃　一九九八年一月号
マダムの咽仏　〃　一九九九年六月号
トラブル・メーカー　〃　一九九九年十月号
オリンポスの聖女　〃　二〇〇〇年十一月号
零下の災厄　〃　二〇〇〇年二月号
永遠の緑　「KEIBA CATALOG」VOL.18

単行本

二〇〇一年一月　文藝春秋刊

文春文庫

姫椿（ひめつばき）

2003年9月10日　第1刷

著者　浅田次郎（あさだじろう）

発行者　白川浩司

発行所　株式会社　文藝春秋

東京都千代田区紀尾井町3-23　〒102-8008

TEL　03・3265・1211

文藝春秋ホームページ　http://www.bunshun.co.jp

文春ウェブ文庫　http://www.bunshunplaza.com

落丁、乱丁本は、お手数ですが小社営業部宛お送り下さい。送料小社負担でお取替致します。

印刷・凸版印刷　製本・加藤製本

定価はカバーに表示してあります

ISBN4-16-764604-8